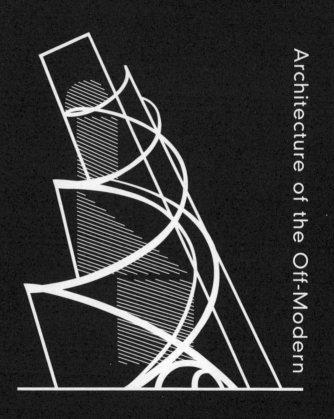

Architecture of the Off-Modern

오프모던의 건축

Architecture of the Off-Modern

스베틀라나 보임   김수환 옮김   문학과지성사

옮긴이 김수환

러시아 과학아카데미 문학연구소에서 박사학위를 받았다. 지은 책으로
한국외국어대학교 러시아학과 교수로 재직 중이다. 지은 책으로
『혁명의 넝마주이』『책에 따라 살기』『사유하는 구조』등이, 옮긴 책으로
『〈자본〉에 대한 노트』(공역)『모든 것은 영원했다, 사라지기 전까지는』
『코뮤니스트 후기』『영화와 의미의 탐구』(공역)『문화와 폭발』
『기호계』등이 있다.

채석장

오프모던의 건축

제1판 제1쇄 2023년 5월 30일

지은이 스베틀라나 보임
옮긴이 김수환
펴낸이 이광호
주간 이근혜
편집 김현주 최대연
마케팅 이가은 최지애 허황 남미리 맹정현
제작 강병석
펴낸곳 ㈜문학과지성사
등록번호 제1993-000098호
주소 04034 서울 마포구 잔다리로7길 18 (서교동 377-20)
전화 02)338-7224
팩스 02)323-4180(편집) 02)338-7221(영업)
대표메일 moonji@moonji.com
저작권 문의 copyright@moonji.com
홈페이지 www.moonji.com

ISBN 978-89-320-4153-7 93160

차례

다케히코 나가쿠라Takehiko Nagakura 감독의 영화
〈건설되지 않은 기념비들〉(1999)의 스틸이미지.
감독의 허락을 얻어 색조를 변경했다.

이 이상한 도시 경관을 보자. 상트페테르부르크 강변에 자리
한 유서 깊은 페트로파블롭스키 요새의 첨탑이 인류 해방의
기념비 혹은 그저 타틀린 탑이라 알려져 있는 블라디미르 타
틀린Vladimir Tatlin의 제3인터내셔널 기념비와 조화로운 앙상
블을 이루고 있다. 이것은—상트페테르부르크, 페트로그라
드, 레닌그라드〔로 불렸던〕—내 과거 고향의 결코 존재한 적
없는, 하지만 존재할 수도 있었을 모습대로의 풍경 사진이다.
이것은 아방가르드의 기획이 역사적인 도시 경관을 바꿔놓
은 대안적 근대성의 이미지다. 이것을 폐허의 경관으로 간주
할지 아니면 유토피아적 건설의 현장으로 간주할지는 우리
에게 달렸다. 그것을 과거 불완료로 생각할지 아니면 미래 완
료로 생각할지 또한 우리에게 달렸다.

결코 실현된 적이 없는 현대 건축의 추론적conjectural 역
사를 꿈꾸게 될 때 관건이 되는 것은 무엇일까? 이런 비스듬
한 움직임은 예술과 기술, 노스탤지어와 진보, 그리고 건축
적 상상의 미래를 둘러싼 우리의 이해에 어떤 도전을 안기는
가? 이를 이해하기 위해서 나는 러시아 아방가르드의 아이콘
중 하나인 타틀린의 전설적인 기념탑의 건축적이고 철학적

인 변모 과정을 탐구해보려 한다. 이 탐은 근대성에 관한 "제 3의 길"의 지성사, 즉 나의 대안적 계보학을 위한 초석이 될 것이다. 포스트모던이라는 말 대신에 나는 그것을 오프모던 이라고 부를 것이다. 그것은 위기와 진보의 논리를 따르는 대신에 비판적 근대성의 옆 골목, 측면의 잠재성들에 관한 탐구를 수반한다. 나는 어떻게든 필사적으로 "안in"에 있고자 골몰하는 카리스마적인 포스트비판의 저 모든 〔접두어들〕, "포스트post" "신neo" "전위avant" "트랜스trans" 따위가 지긋지긋하다. 이들과는 다른 선택지가 있다. "밖out"에 있는 게 아니라 〔옆으로〕 "빗겨나off" 있기. "무대 뒤편off-stage"에, "음정이 안 맞게off-key" "엇박자로off-beat," 그리고 가끔은 "저속한off-color" 모습으로. 그것은 형식과 기능, 예술적 기법technique과 기술technology, 공적 영역에서의 미적 실천과 정치, 폐허애호주의와 자유 등에 대한 대안적 접근법을 탐구하는 데 도움을 줄 수 있을 것이다.

  20세기의 많은 이론가들은 진보의 직선적 내러티브를 "농락하면서" 제3의 길을 탐색하기를 꿈꿔왔다. 지그재그, 나선, 사선, 체스 말의 움직임처럼. 지그프리트 크라카우어, 발터 벤야민, 한나 아렌트, 게오르크 짐멜, 프란츠 카프카의 저작들에는 근대성에 관한 철학적 담론 속에 건축적 형상들이 스며들어 있다. 채택되지 못한 길 하나가 특별한 중요성을 띤다. 러시아 형식주의의 길, 빅토르 시클롭스키Viktor

Shklovsky의 "체스 말(기사)의 행보"라는 독특한 개념, 그의 예술적 갱신의 횡로가 그것이다. 시클롭스키의 견해에 따르면, 이 제3의 길의 사유와 체스 말의 행보는 타협과는 거리가 먼 "용감한 자들을 위한 고난의 길"을 예시한다. 그 길은 건축적 공간과 문학적 공간 사이의 흥미로운 관계를 시사하면서, 실용성과 기능에 대한 정치적·기술적·경제적 이해들을 낯설게 만든다estrange.

지난 20세기 초반에 건축은, 블라디미르 마야콥스키와 다비드 블뤼크David Burlyuk의 〔미래주의 선언문〕「일반적 취향에 날리는 따귀」를 빌려 말하건대, 어떤 이들이 "현대의 기선" 밖으로 내던져버리길 꿈꾸었던 논쟁적 개념이 되었다. 초현실주의 이단자이자 신화 기술자였던 조르주 바타유는 "반-건축"의 입장에 섰다. 바타유는 "따분한 부르주아들의 치즈 먹기로 환원되어버린" "무서워할 만한 것이 더는 남아 있지 않은 무기력한 현대 세계"[1]에서 이제는 보이지 않게 된, 도살장 같은 유사-신비적 폭력의 공간을 더 선호했다. 그에게 있어 "건축은 사회적 존재 그 자체의 표현," 곧 사회적 위계의 표현이다. 따라서 건축은 바스티유식 혁명 스타일로 쓸려 내려가야 한다.

바타유의 이교적 모더니즘의 열정을 공유하면서 나

1   Georges Bataille, "Slaughterhouse," in *Encyclopaedia Acephalica*, London: Atlas Press, 1995, p. 73.

는, 정반대의 것을 위한 "악마의 변호사"가 되어보기로 한
다. 건축이 사회의 물질적 표현이라는 바로 그 이유 때문에,
우리는 그것을 크라카우어가 말한 "실존의 위상학existential
topography" 혹은 내가 문화적 기억술cultural mnemotics이라 부
른 것의 관점에서 고려하고 탐색할 필요가 있다. 이런 의미에
서라면 건축은 건축술architectonics이 아니다. 건축은 개념의
세계에 어떤 체계나 상부구조가 아니라 질감을 부여한다. 건
축은 포에시스poiesis의 형식이 될 잠재력을 갖고 있다. 단지 위
계를 구체화하는 게 아니라 인간의 노동과 수완을 기리고, 자
신의 직접적인 기능을 초과하며, 세계 문화의 창조에 기여할
수 있는, 그런 만듦의 형식.[2] 건축적 성찰과 철학적 성찰 사이
에는 언제나 이중의 움직임이 존재해왔다. 내 관심사는 건축
의 상징적 형식이 아니라 흔히 지적인 장르나 사유 체계, 학
제들 사이의 틈에서 발견되곤 하는, 건축과 이론, 모더니즘
소설과 철학을 비롯한 그 밖의 모든 특이하고 실험적인 이론
적 스토리텔링 형식들을 포함하는 제3의 사유의 서사적·공
간적인 구성configuration이다. 이런 사유 형식은 체계를 세우
는 일보다는 오히려 기획과 모험으로서의 삶과 예술에 관한

2   건축에 관한 다른 사유 방식에 관해서는 다음을 보라. Kenneth
       Frampton, "The Status of Man and the Status of His Objects: A
       Reading of The Human Condition," in *Labor, Work, and Architecture*,
       London: Phaidon, 2002, pp. 24~43.

것이다. 문학과 철학은 많은 잠재적인 공간들을 제공해주는데, 그것은 유토피아가 아니라 미래를 위한 모델을 제안하는 상상적 위상학imaginary topography의 공간들이다. 모험이 제공하는 것은 뒤집힌 미메시스의 가능성인바, 강렬한 상상은 자연을 모방하는 대신에 미래의 건축을 제안한다. 문학과 철학은 "종이 건축"의 형식이 될 수 있다.

내가 생각하기에 오프모던의 건축은 모험의 건축이다. 모험adventure은 문자 그대로 이제 막 발생하려고 하는 어떤 것, 바야흐로 도래하는 것à venir을 가리킨다. 하지만 그것은 모종의 파국적인 혹은 메시아적인 미래를 열어 젖히기보다는 현재의 보이지 않는 시간적 차원들로 이끈다. 20세기 초반의 가장 흥미로운 제3의 길의 사상가 중 한 명인 게오르크 짐멜은 우리의 일상적 삶의 흐름을 끊어내는 동시에 그것의 내적 핵심을 결정화하는, 모험의 현상학을 제안한 바 있다.[3] 모험

3   Georg Simmel, "The Adventurer," in *On Individuality and Social Forms*, Donald Levine(ed.), Chicago: University of Chicago Press, 1971, pp. 187~98. 〔한국어본은 게오르그 짐멜, 「모험가」, 『짐멜의 모더니티 읽기』, 김덕영·윤미애 옮김, 새물결, 2005, pp. 203~25.〕 짐멜의 모험 이론은 그 자체로 학제적 모험, 즉 일상적 삶의 자본주의식 상품화에 대한 비판이었을 뿐만 아니라 공적 영역과 시민사회를 폄하하는 마르크스주의적 개념, 그리고 근대성을 각성과 초월적 집없음으로 이해하는 베버와 루카치에 대한 대안이기도 했다. 짐멜 그 자신 또한 당대 독일의 제도권 학계에도, 오늘날의 학제화된 사유 시스템에도 들어맞지 않는다. 모험은 그의 탐구 주제였을 뿐만 아니라 지적이고 실존적인 작동 방식modus operandi이었다.

은 외적인 사건도 내적인 체계도 아닌 제3의 "어떤 것"이다. 모험 속에서 우리는 마치 정복자처럼 "세계를 강제로 우리 안으로 끌어들이는" 동시에 "우리를 행복하게 할 수도 있지만 또한 단숨에 파괴할 수도 있는 위력과 우연에 완전히 자신을 맡겨버리는 것"을 허용한다.[4]

모험의 건축은 문지방, 임계 공간, 다공성, 문, 다리 그리고 창문의 건축이다. 그것은 숭고의 경험보다는 한계의 경험에 관한 것이다. 모험은 가장 친밀한 것을 전경화하는 "낯선 이의 몸"과 같다. 이를테면 "그것은 우리 존재 안에 있는 이물질인데, 어떻게든 중심과 연결되어 있다. 외부는, 길고 낯선 우회로를 통해서만 형식적으로 내부의 양상이 된다."[5] 모험은 뫼비우스 띠의 모양을 하고 있는데, 즉 내부에서 나왔지만 직접적 경험의 영역을 넘어서 인간 존재가 전 우주를 포괄할 수 있도록 허용하는 상상력의 뒤집힌 구조를 지닌다. 모험의 시간성은 그것의 공간적 구조를 닮아 있다. 모험은 시간 바깥의 시간이다. 시작과 끝으로 경계 지워진 채로 무제한한 힘과 삶의 잠재성을 드러낸다. 모험가는 "다리를 불태워버리고" 몽유병자의 확실성을 지닌 채로 안개 속으로 여행을 떠

---

4   같은 글, pp. 189~94. [옮긴이] "왜냐하면 우리는 언제나 모험과 더불어서 제3의 세계를 생각하기 때문이다. 모험은 단순하고 돌발적인 사건과도, 일관된 삶의 연속성과도 아무런 관련이 없는 제3의 세계인 것이다." 한국어본은 p. 209.

5   같은 곳.

나지만, 결코 저편에 다다르지는 못한다. "시간적 경계들의 문지방 너머로 삶을 밀어붙이지만" 이 "너머"는 결코 이-세계성의 너머가 아니다. 그것은 초월transcendence도 아니고 위반transgression도 아니다. 그것은 잠재성, 삶의 미적분학을 변경하도록 우리를 강제하는 계산 불가능한 것과의 마주침이다. 다르게 말해, 모험은 국가와 기업의 관료제를 통해 강화된 근대 세계의 베버식 탈주술화disenchantment에 대한 응답으로서, 실존의 단음계 속에서 재-주술화re-enchantment를 약속한다. 모험은 황홀경이 아니라 일종의 범속한 각성profane illumination[6]이다. 그것은 인간의 가능성들을 밀어붙이지만 그것을 넘어서지는transgress 않는다.

이 에세이는 오프모던 건축의 역사적·현상학적·예술적인 측면들을 다뤄보려고 한다. 여기서 중요한 것은 서구 유럽과 미국의 맥락을 벗어나는 아방가르드의 실제 역사를 우회해버리지 않는 것이다. 그 역사로부터 배우고, 그 시대의 문학과 영화, 각종 이론적 설명 속에 구현된 것들을 포함시킴으

6   [옮긴이] "범속한 각성"은 초현실주의에 관한 글에서 벤야민이
     사용한 표현이다. 일상적이고 세속적인 측면을 가리키는
     "profane"과 "erleuchten"에서 파생된 명사 "Erleuchtung"[각성,
     영감, 깨달음, 계몽]을 연결한 것으로, 서로 결합될 수 없을 것 같은
     개념들(가령, 도취와 비판, 일상적인 것과 비밀스러운 것 등)을
     하나로 묶는 벤야민 특유의 역설적·변증법적인 결합의 사례 중
     하나다.

로써 "건축"의 개념을 확장할 필요가 있다. 첫번째로 나는 아방가르드 실험의 대안적인 역사적 계보를 제안하고자 한다. 이는 1930년대나 1970년대에 "끝나버린," 혹은 그저 사회주의 리얼리즘이나 모더니즘 기능주의로 발전해간 계보를 의미하지 않는다. 그것은 여전히 상당 부분 탐구되지 못한 채로 남아 있는 탈off-중심화된 실험의 지평을 여는 것이다. 두번째로 나는 모험의 건축을 그것의 시간적·공간적 차원에서 살펴볼 것이다. 테크네techne 개념을 예술과 기술의 매개로서 살펴보고, 제3의 길의 사유와 반체제 예술에 중요한 오스트라네니예ostranenie(낯설게하기estrangement) 개념을 미학적 영역과 정치적 영역의 매개로서 탐구해볼 것이다. 세번째로 나는 모델과 기획으로만 존재하는 소규모 건축을 실패, 기능 장애, 무목적성의 극장이 아니라, 건축, 개념적 설치미술, 미디어 아트를 횡단하는 다리를 놓는 색다른off-beat 상상력의 실험실로서 탐구해볼 것이다. 오프모던의 관점은 로절린드 크라우스가 정교화한 "아방가르드의 독창성" 개념에 도전할 뿐아니라, 아방가르드와 사회주의 리얼리즘 사이의 유토피아적 비전의 연속성을 말하는 보리스 그로이스의 개념[7]에도 도

---

7   여기서는 아방가르드에 대한 서로 대립되는 태도를 만들어낸
     로절린드 크라우스와 보리스 그로이스의 다음 저작들을 가리킨다.
     Rosalind Krauss, *The Originality of the Avant-Garde and Other
     Modernist Myths*, Cambridge, MA : MIT Press, 1985 ; Boris Groys,
     The Total Art of Stalinism: Avant-Garde, Aesthetic Dictatorship, and

전한다. 이것들 대신에 오프모던의 관점은 아방가르드의 내적 다양성, 즉 이상주의적 요소들과 집단적 유토피아주의 못지않게 역사적으로 유의미하고 끈질긴 것으로 판명된, 아방가르드의 독특함과 엉뚱함 들을 드러낼 것이다.

그 정의에 있어 다른 것보다 더 "자유로운" 스타일이나 형식 요소 같은 것은 존재하지 않는다. 우리는 전체주의적이고 권위적인 국가들의 건축이 피라미드, 신전, 고대의 주랑, 로마 콜로세움에서 아르데코, 모더니즘 기능주의, 포스트모더니즘에 이르기까지, 모든 가능한 스타일들을 기꺼이 타협적으로 전유해왔음을 잘 알고 있다. 건축에 대한 나의 접근은 철학자 르네 데카르트의 방식, 그러니까 세계의 마스터 디자인을 만드는 단 한 명의 건축가라는 (토대주의적) 개념을 따르지도, "도래할 건축architecture à venir"에 관한 급진적인 반-토대주의적 이해를 주창했던 데리다의 방식을 따르지도 않는다. 내가 관심을 갖는 것은 반anti-건축이 아니라 탈off-건축이다. 혹은 (고든 마타-클락Gordon Matta-Clark의 개념을 빌리자면) 무無; an-건축인데, 그것은 서로 다른 종류의 집단적인 인간 작품의 기억술적 공통 공간들을 표지한다. 폐허와 건

Beyond, Charles Rougle(trans.), Princeton : Princeton University Press, 1992. 〔그로이스 저작의 한국어본은 『아방가르드와 현대성』(최문규 옮김, 문예마당, 1995)이라는 제목으로 출간되었다.〕

축 현장은 공히 건축의 잠재력에 대한 완벽한 은유를 제공한
다. 동부 유럽에는 아주 잘 확립된 종이 건축의 전통이 있었
다. 이는 "정체의 세기" 동안 진행된 래디컬한 건축 프로젝트
로, 건축 경연을 위해 만들어졌지만 결코 건립된 적은 없다.
그것들은 거의 기능적이지 않지만 건축적으로 모험적이다.
이런 종류의 건축을 비물질적이라고 할 수는 없다. 외려 그
것은 상상력의 잠재성에서 기술의 잠재성에까지 걸쳐 있는,
"잠재적virtual"이라는 말의 가장 넓은 의미에서, 물질성과 잠
재성의 관계를 새롭게 재정의한다.[8]

8   〔옮긴이〕이 대목은 "virtual"을 현행성actuality에 대립되는
     실재적인 것으로 간주하는 (들뢰즈적) 맥락에 기대 있기 때문에
     "가상성"보다는 "잠재성"으로 옮기는 편이 적절하다.

타틀린의 테크네와 혁명적 폐허

블라디미르 타틀린의 제3인터내셔널 기념비(1919~25)는 모험에 찬 혁명적 실험이었다. 비록 관습적 지혜와 달리, 그것에 담긴 "모험" "혁명" "실험"의 개념이 배타적인 것까지는 아니라도 종종 서로 모순적이었지만 말이다. 레프 트로츠키는 "민족적인 스타일과 알레고리적인 조각, 모델화된 모노그램, 과장된 동작과 장식들을 제거해버린 〔타틀린의〕 프로젝트"를 칭송했지만, 에펠탑이 그런 것처럼 타틀린의 탑 역시그 무목적성으로 인해 관람자를 소외시킨다고 논평했다. 트로츠키는 "유리 원기둥과 피라미드를 지탱하는 지주 더미들—이들의 목적은 단지 그것뿐인데—은 너무 크고 무거워서마치 제거되지 않은 비계처럼 보인다"라고 썼다.[9] 예술과 삶사이의 모순을 날카롭게 의식하면서, 트로츠키는 포스트 혁명기의 "무목적성"이라는 목적을 폄하하고 있다. 이 탑은 미래 건축을 위한 일종의 비계가 되었는데, 이를테면 그것은 실

9   Leon Trotsky, *Literatur und Revolution*, Vienna : Verlag fur Literatur und Politik, 1924. 영어본은 다음을 보라. *Literature and Revolution*, Rose Strunsky, Ann Arbor(trans.), MI : University of Michigan Press, 1971, pp. 246~47. 해당 부분은 저자가 직접 러시아본에서 영어로 옮겼다.

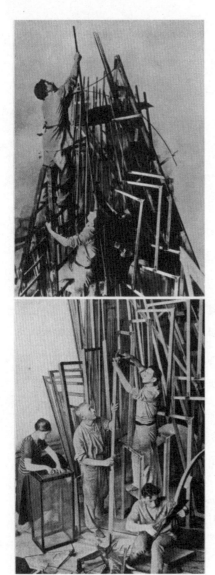

타틀린 탑 모형 제작(1920),
왼쪽부터 오른쪽 아래로 소피아
딤시츠-톨스타야, 블라디미르
타틀린, T. 샤피로, I. 메예르존.

전前 예술아카데미의 모자이크 스튜디오에서
타틀린 탑 모형 앞에 선 타틀린 스튜디오 콜렉티브 멤버들, 페트로그라드,
1920년 11월. 왼쪽에서 세번째가 타틀린.

험적 상상력의 기능과, 실제 건물로 구현될 수도 있고 그러지 않을 수도 있는 기획의 기능을 모두 포함하는 수많은 건축적 기능들을 있는 그대로 노출시킨 비계에 해당한다.

제3인터내셔널에 바치는 기념비는 극단적인 반-기념비가 되어야만 했다. 건축 혁명의 선언문으로서 타틀린의 탑은 "부르주아적인" 에펠탑과 미국의 자유의 여신상 양자 모두에 도전했다. 철과 유리로 만들어진 그 탑은 회전하는 세 가지의 유리 몸체, 즉 정육면체와 피라미드 그리고 원기둥으로 구성되었다. 세계인민위원회가 자리할 정육면체는 일 년에 한 번, 제3인터내셔널 수뇌부와 행정위원회를 위한 피라미드는 한 달에 한 번, 정보 및 선전 본부가 될 원기둥은 매일 한 차례씩 회전하게 될 것이다. 라디오 전파가 탑을 하늘로 연장한다면, 3층에 자리한 타이포그래피 작업실은 그날의 모토를 구름을 향해 투사한다. 실제로 탑은 "혁명"이라는 단어에 포함된 수많은 명시적·함축적 의미들을 구현하고 있었다. 본래 과학 담론에서 나온 이 단어는 반복과 회전[즉, 공전]을 의미했는데, 17세기에 와서야 정반대의 것, 곧 반복되지 않는 사건, 돌파를 가리키기 시작했다. 그 탑의 프로그램은 예술과 과학, 혁명과 반복 간의 양가적 관계를 성찰한다. 최적의 마르크스-헤겔적 형태라 할 나선 모양[10]을 한 탑은 최상부가 급

---

10   [옮긴이] 마르크스는 "역사가 나선형으로 발전한다"는
        잠바티스타 비코Giambattista Vico(1668~1744)의 나선형

진적으로 열린 채로 끝나면서 종합이 아닌 비완결성을 시사한다. 실제로 탑은 영구적인 예술적 혁명의 짧게 지속된 유토피아를 기념했으며, 타틀린은 그 혁명의 지도자 중 한 명이었다. 그의 선언에 따르면, 혁명은 1917년이 아니라 예술적 변형이 발생했던 1914년에 일어났다. 정치적 혁명은 예술적 혁명의 행보를 뒤따랐을 뿐이다. 그것도 대부분 불성실하게.

타틀린의 동시대인이자 잘 알려진 구축주의 이론가였던 니콜라이 푸닌은 이 기념비를 탁월한par excellence 반-폐허로 묘사했다. 그가 보기에 타틀린의 혁명적 건축은 고전적·르네상스적인 전통을 재로 만들어버렸다. 그는 "까맣게 타버린 유럽의 폐허가 이제 청소될 것이다"라고 썼다.[11] 나선형 형태를 택하고 한쪽으로 탑을 기울임으로써, 타틀린은 에펠탑의 완벽한 수직성을 사보타주했다. 한편, 묘하게도 타틀린의 기념비 역시 폐허의 매력에서 완전히 자유롭지 않다. 반-에펠탑이 되려는 시도 속에서 그것은 기우뚱한 피사의 사탑 혹은 심지어 바벨탑을 닮아가기 시작했다.

역사발전론과 그 바탕에 깔린 민중사관에 깊이 매료되었던 것으로 알려져 있다. 이런 이유로 나선형의 진행이 정반합으로 이루어진 변증법적 발전과 유사한 것으로 여겨지기도 했는데(나보코프 또한 이런 견해를 피력한 바 있다), 여기서 보임은 나선의 비완결성이 종합과 대립되는 것임을 지적한다.

11 Nikolai Punin, *Pamiatnik tret'emu internatsionalu*, Petrograd: Otdel IZO Narkomprossa, 1921, p. 2.

21

아타나시우스 키르허, 『바벨탑*Turris Babel*』(1679)에
삽입된 '바벨탑' 삽화.

엘 리시츠키는 "기술적인 것과 예술적인 것," 새로운 형식과 낡은 형식을 종합했다는 이유로 타틀린의 탑에 찬사를 보냈다. "여기서 새로운 질료와 내용으로 코르사바드에 있는 사르곤 피라미드가 실제로 재창조되었다."[12] 코르사바드의 프로젝트는 실제로 신전, 필시 바벨탑의 신화적 형상에 대응될, 꼭대기가 평평한 피라미드 구조물로, 에테메난키Etemenanki라고 불리는 바빌론의 신전을 닮았다.[13] 요컨대, 반-에펠탑이 되려는 시도 속에서 타틀린의 탑은 완결되지 못한 채 신화적 폐허로 변해버린 유토피아의 기념비, 바벨탑을 떠올리게 한다. 게다가 바벨탑의 경우 건축적 유토피아와 그것의 파괴에 얽힌 이야기는 언어에 관한 우화와 거울상을 이

12   El Lissitzky, "Basic Premises, Interrelationships between the Arts, the New City, and Ideological Superstructure," in *Bolshevik Visions*, vol. 2, William G. Rosenberg(ed.), Ann Arbor: University of Michigan, 1990, p. 188.

13   탑의 도상학에 관한 좀더 상세한 정보는 다음을 보라. John Elderfield, "The Line of Free Men: Tatlin's 'Towers' and the Age of Invention," *Studio International*, vol. 178, no. 916(Nov 1969), p. 165. 엘더필드가 지적하기를, 바빌론의 지구라트 성탑은 "하늘과 땅 그리고 성스러운 산과 정상을 향한 길인 나선 계단의 상징주의의 기초가 되는 집이다." 또한 엘더필드는 나선 형태를 매너리즘과 바로크 건축의 "뱀 형상"과 비교하고, 타틀린의 탑과 산 티보 알라 사피엔차 성당의 소용돌이 형태의 원주를 비교한 지그프리트 기디온Sigfried Giedion에 관해 논의했다. 이 에세이에서 내가 관심을 갖는 것은 의식의 상징적 형태가 아니라, 이 세계와 인간의 창조성 속에 존재하는 형식들이다.

23

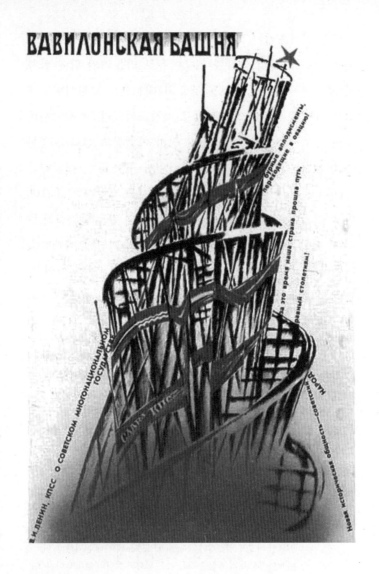

나탈리아 베르디, 『모스크바 포스터』(1991) 중 〈바빌론 탑〉.

룬다. 바벨탑은, 잘 알려져 있듯이, 신과의 완벽한 소통을 보장하려는 목적으로 건립되었다. 그것의 실패는 예술의 생존을 보장했다. 이후로 모든 탑의 건설자는 하늘에 가닿는 꿈을 꾸게 되었는데, 당연히 그 제스처는 영원히 점근적인 것으로 남아 있을 뿐이다.

아마도 모든 기능적인 현대의 탑은 총체적 커뮤니케이션을 향한 이 최초의 꿈의 신화적인 오작동을 환기한다. 롤랑 바르트가 쓰기를, 구스타브 에펠 스스로는 자신의 탑을 "합리적이고 유용하며 진지한 사물의 형태로 보았지만, 사람들은 그것을 자연스럽게 비이성의 경계에 맞닿아 있는 위대한 바로크식 꿈의 형태로 그에게 되돌려주었다."[14] 에펠탑의 무용성에 대한 바르트의 시적인 기념사[15]는 그것의 소비에트 라이벌에게도 쉽게 적용될 수 있다. 바르트의 견해에 따르면, 비전으로 가득찬 건축은 심오한 이중적 움직임을 담지한다.

14   Roland Barthes, "The Eiffel Tower," in *The Eiffel Tower, and Other Mythologies*, Richard Howard(trans.), New York : Noonday Press/Farrar, Straus & Giroux, 1979, pp. 3~18.

15   〔옮긴이〕 "그것은 인간의 상상력 안에 살아 있는 근본적인 무용성uselessness을 재탈환했다. 처음에는 그것을 '과학의 사원'으로 만들려는 방안이 추구되었다(텅 빈 기념비라는 개념은 너무나 역설적이다). 하지만 이것은 단지 은유에 불과하다. 사실 그 탑은 아무것도 아니다. 〔…〕 당신은 탑을 뮤지엄처럼 방문할 수 없다. 그 탑 내부에는 볼 게 아무것도 없기 때문이다." Roland Barthes, 같은 글, p. 6.

25

그것은 언제나 "꿈이면서 기능이고, 유토피아의 표현이면서 편이성의 도구다." 바르트는 에펠탑을 아무것도 담고 있지 않은, 그러나 그 꼭대기에서 세계를 볼 수 있는 "텅 빈" 기념비로 간주했다. 그것은 근대성의 비전을 위한 시각적 장치가 되었다. 타틀린의 탑도 비슷한 역할을 했다. 폐허와 건설 현장을 공히 포함하는, 혁명적 파노라마의 양피지를 위한 전망대의 역할이 그것이다.

에펠탑과 달리 타틀린의 탑은 단지 기술적 문제나 실현 가능성에 대한 우려 때문에 건설되지 못한 것이 아니다. 그것은 자기 시대를 앞서 있는 동시에 뒤처져 있었다. 혁명 이후의 건축 트렌드와 맞지 않았음에도, 그 모델은 10월 혁명 축하 퍼레이드에서 전시되고 사용되었다. 말하자면 그것은 미완성 연극 세트, 공식 거리극의 일부, 거대한 모습이 아닌 인간적인 크기를 가진, 혁명적 무상함의 증거로서 존재했던 것이다.

타틀린의 탑 또한 바벨의 방식을 따라 서구 언어들로 "번역"되었고 번역 과정에서 많은 것들이 소실되었다. 1920년에 뮌헨의 예술저널 『아라라트*Der Ararat*』에 이 탑에 관한 기사가 실렸고 막 부상하던 다다이스트들의 관심을 끌었다. "예술은 죽었다"고 다다이스트들은 선언했다. "타틀린의 기계 예술이여 영원하라."[15] 하지만 타틀린의 나선형 "길로틴"을 통해 예술의 죽음을 찬양했던 다다이스트들의 사례는 사

5월 노동절 퍼레이드의 타틀린 탑의 단순 모형,
레닌그라드, 1926.

"예술은 죽었다. 타틀린의 새로운 기계 예술이여 영원하라"라고 적힌
플래카드를 들고 있는 조지 그로스와 존 하트필드,
제1회 국제 다다 미술전, 베를린, 1920.

국제 아르데코 산업박람회에 전시된
〈타틀린 기념탑〉두번째 모델, 파리, 1925.
사진: 알렉산더 로드첸코

실 얼마간 문화적인 오역의 행위였던바, 러시아 아방가르드에 관한 서구의 흔한 오해를 반영하고 있다. 타틀린은 어떻게 보더라도 기계의 도움을 받은 예술적 자살의 옹호자와는 거리가 멀었고, 특히 "예술의 죽음"이 단지 메타포가 아니었던 혁명의 시기엔 더욱 그러했다. 그 대신 타틀린은 "예술가들의 참여 없이 기술에 의해 태어난 형식들의 폭정"에 반대하는 주장을 내놓았다. 리시츠키가 쓰기를, 타틀린의 가장 위대한 성취는 "합리적이고 과학적인 기술의 방법론"에서 상당 부분 벗어나 있는 질료와 기법들의 예술적 완성도에 놓여 있다.[17] 리시츠키의 말을 증명하기라도 하듯이, 타틀린은 구축에 관한 아무런 특별한 기술적 지식도, 온전한 건축 드로잉도 없이 자신의 작업을 완수했다. 리시츠키가 보기에, 타틀린의 탑은 기능적인 부분들의 "열린 골격"을 드러내고 시간상의 회전을 도입함으로써, "건물을 벽들 사이에 가두지 않은" 채로 시간적·공간적인 확장을 제공하는 "열린 건물"이다. 사실 타틀린 자신의 슬로건인 "삶 속으로 들어간 예술"이나 "기술 속으로 들어간 예술"은 삶이나 기술을 위해 봉사하는 예술이나 정치적·사회적 혁명에 봉사하는 삶을 제안하는 것이 아니

---

16   Anatoly Strigalev and Jurgen Harten, *Vladimir Tatlin, Retrospektive*, Cologne: DuMont Buchverlag, 1993, p. 37을 보라.

17   El Lissitzky, "Basic Premises, Interrelationships between the Arts, the New City, and Ideological Superstructure," p. 188.

다. 오히려 그것은 상상력의 지평을 열고 기계론적 클리셰 너 머로 나아감으로써, 기술과 사회 자체를 혁명할 것을 제안한 다. 이 경우 테크네techne라는 단어의 두 가지 의미―예술과 기술 공예craft―는 끝없이 서로 결투를 벌이게 된다. 예술이 기술을 낯설게 만들 때, 새로운 기술은 예술적 실험을 위한 영감을 제공한다.[18] 타틀린의 기념탑은 연극적 파편으로서, 종이 건축의 미완성 모델로서, 미래의 폐허를 닮은 유토피아 적 비계로서 태어났다.

　　타틀린의 건축적이고 기술적인 프로젝트는 기능주의 보다는 모험의 영역에 속한다. 타틀린과 관련해 흥미로운 것 은 그가 기념탑 이후에 기예technique의 이슈를 예술과 기술 technology 사이의 세번째 항으로 생각했다는 사실이다. 이 생각은 1920년대 후반에서 1930년대 초반 사이 "레타틀린 Letatlin"(러시아어 동사 "날다letat"와 자신의 이름tatlin을 결 합한 신조어) 프로젝트에서 가장 극단적인 방식으로 드러난 다. 타틀린의 기념탑이 제3인터내셔널이라는 완벽한 공동체

18　　두 세기 전에 프리드리히 슐레겔이 근대적 폐허의 속도에 관해
　　　　논평했다. "고대의 많은 작품들은 파편들이 되었다. 근대의
　　　　많은 작품들은 그것이 생겨난 순간 파편이다." 다음에서 재인용.
　　　　Irresistible Decay: Ruins Reclaimed, Michael S. Roth with Claire
　　　　Lyons and Charles Merewether(eds.), Los Angeles: Getty Research
　　　　Institute for the History of Art and the Humanities, Oxford University
　　　　Press, 1997, p. 72.

레타틀린 비행 테스트, 1932년 여름.

국립미술관에 전시된 레타틀린, 모스크바, 1932.

레타틀린의 기체, 1932.

의 꿈이었다면, 레타틀린은 개인적인 비행 기구였다. 생명 형태의 구조를 띤 그것은 한편으로 뒤샹의 나는 자전거 알라 á la 를 닮은 동시에 러시아 민담에 나오는 불새와도 닮았다. 타틀린은 짧은 기간 동안 소비에트 항공 산업에 종사한 적이 있는데, 당시 그는 완벽한 스파이 비행선 제작을 요청받았다. 대신에 그가 만든 것은 때늦은 아방가르드의 이카루스, 적어도 축자적 의미에서는 날지 못하는 비행 기구였다. 요컨대 레타틀린은 로켓 과학의 기술적 발전보다는 미학적이고 실존적인 모험에 관한 것이다.[19]

비행 기계와 탑, 두 프로젝트 모두 매우 다른 기술사에 속한다. 그것은 마법에 걸린 기술, 그러니까 미적분학 못지않게 카리스마에 기초를 두는, 근대 과학 못지않게 전근대의 신화들과 연결된 기술이다. 하지만 그것들 모두는 소비에트 우주과학의 역사에서 낯설지 않다. 우주를 향한 소비에트의 탐구에서 과학은 SF 소설과 몸을 섞고, 이데올로기는 종종 시처럼 들린다.[18] 타틀린의 탑은 레타틀린이 우주를 향해 날아오른 신화적인 우주정거장의 폐허와 닮았다.

19   Svetlana Boym, "Kosmos: Remembrances of the Future," in *Adam Bartos, Kosmos: A Portrait of the Russian Space Age*, New York: Princeton Architectural Press, 2001, pp. 80~99를 보라.

20   〔옮긴이〕 소비에트 우주과학과 러시아 우주론Russian cosmism 사상의 밀접한 관련성은 얼마간 공인된 사실이다. 소비에트 로켓 과학자이며 우주 개발 프로그램의 고안자였던 콘스탄틴

34

1920년대 중반에서 1930년대 중반까지 타틀린의 예술적 삶은 자신의 시대를 굴절시키는 온갖 모순들 속에서 풍요롭다. 그는 1930년에 자살한 러시아의 혁명 시인 블라디미르 마야콥스키의 관을 디자인했다. 1934년에 KGB의 전신인 연방국가정치보안국 OGPU는 그와 동료 예술가들을 초청해 스탈린 노예 노동의 초창기 거점 중 하나였던 백해 운하 건설 현장을 시찰하도록 했다. 1933년에 열린 "러시아의 예술가들Artists of Russia" 전시회에서 타틀린의 작품들은 "형식주의적 과잉들Formalist excesses"(이후 독일에서 열린 "퇴폐 예술" 전시회의 성공적인 전신)이라 이름 붙여진 작은 홀에서 전시되었다. 소비에트의 공식 비평가들은 타틀린의 작품들이 "형식적 실험의 자연스러운 사망"을 잘 보여준다면서 타틀린은 "예술가도 뭣도 아니다nikakoi xudozhnik"라고 선언했다.[21]

자신의 문화적 타당성보다 더 오래 살아남은 예술가는 무엇을 해야 하는가? 소비에트의 경우, 우리는 1953년에 죽

치올콥스키konstantin Tsiolkovskii(1857~1935)는 러시아 우주론의 아버지 니콜라이 표도로프의 『공통 과제의 철학』에 깊은 감화를 받아 불멸과 우주 개발을 목표로 한 연구를 진행한 것으로 알려져 있다. 소비에트에서 우주 탐구의 상당수는 샤라스카Sharazka라고 불리는 특별 엘리트 교화수용소(굴락)에서 이루어졌는데, 그곳의 담장 안에서 과학자들은 상상의 비행과 대부분의 연구를 수행했다. Svetlana Boym, 같은 글 및 김수환, 『혁명의 넝마주이』, 문학과지성사, 2022, 2부 참조.

21   Anatoly Strigalev and Jurgen Harten, 같은 책, p. 394.

1930년 4월 19일 모스크바에서 거행된
블라디미르 마야콥스키 장례식에서 사용된 관.
타틀린과 브후테마스(모스크바 고등예술 및 기술공방)
학생들이 철판으로 만들었다.

알렉산더 로드첸코, 〈수문에서의 마지막 시간〉, 1934.
무대에서 수형자들이 수문에서 낚시 작업을 하는 다른 수형자들을 위해 연주하고 있다.

백해 운하 건설 작업, 1930~33. 촬영자 미상.

은 타틀린을 포함한 비주얼 아방가르드 대표자들의 최후의 15년에 관해 거의 아는 것이 없다. 자신의 공식적 죽음이 선 언된 이후에 아방가르드 예술가가 더 할 수 있는 일은 무엇일까? 타틀린의 "사후postmortem" 작품들은—말 그대로—죽은 자연물들〔정물들〕natures mortes, 그리고 대개는 갈색과 회색 팔레트로 사회주의 리얼리즘 연극 무대의 배경막 위에 그려진 황량한 시골 풍경들로 구성되어 있다. 내 생각에 시대에 걸맞지 않은 후기 타틀린의 정물화들still lifes이야말로 간접적으로 자기 시대를, 즉 박해와 전쟁의 시대를 이야기하고 있는 것 같다.[22] 구상적으로 표현된 가운데, 이 작품들은 사회주의 리얼리즘 예술의 낙관적 어조를 담는 대신 다른 종류의 실존적 관점을 제시한다. 정물화는 역사적 대격변과 예술적·사회적 혁명들을 거치며 살아남은 고대의 장르 중 하나다. 정물화는 일상적 삶의 비혁명적 리듬의 잔재다. 그것들은 집과 경작된 자연, 오래된 예술적 전통에 관한 꿈을 보존한다. 타틀린의 정물화는 최고로 소박하고 일상적인 가정생활의 연약함

22　〔옮긴이〕 여기서 보임은 정물화에 해당하는 용어로 nature morte와 still life를 동시에 사용하는데, 이는 섬세한 언어유희로서 의도된 것이다. 전자의 영어 번역어인 후자는 말 그대로 "움직이지 않는 삶," 즉 (일상의) 평안한 삶이라는 의미를 동반한다. 후기 타틀린의 정물화still life는 그것이 그려진 시기("제2차 세계대전 직후 스탈린의 박해가 진행되는 시점")를 배경으로 특별한 함의를 띠게 된다.

38

을 전경화하는 메멘티 모리mementi mori처럼 보인다.[23] 이 탈
역사적인 정물화와 그것이 그려진 시기, 즉 제2차 세계대전
직후 스탈린의 박해가 진행되는 시점 사이에는 미묘한 긴장
이 존재한다. 게다가 우리가 타틀린의 정물화를 더 가까이 살
펴볼수록, 그것이 이중적인 비전을 지닌 실행이었음이 드러
난다. 그러나 이는 단지 관습적 의미에서의 정치적 이중발화
같은 것이 아니다. 오히려 거기엔 구상적인 꽃들과 추상적인
배경 사이에 가로놓인 긴장이 존재한다. 전경에는 듬성듬성
그려진 정물화가 있고 뒷배경에는 언젠가 타틀린의 유명한
역부조counter-relief[24]들이 솟아올랐던 바로 그 두텁게 칠해진
평면이 있다. 타틀린의 레타틀린, 그의 생물 형태의 혁명적
이카루스는 이와 같은 특별할 것 없는 때늦은 무대 세트를 내
던져버린 바 있다. 타틀린의 후기 작품들은 아방가르드의 프
로젝트가 혁명의 폐허로 변해버린, 바로 그 황폐한 "자연적

23   현대 예술가 레오니드 소코프Leonid Sokov의 회상에 따르면,
      1970년대에 타틀린이 말년에 근무하던 모자이크 공장이나
      지역 극장에서 일하던 나이 든 여인들이 타틀린의 잊혀진 작은
      정물화들을 가져오곤 했는데, 그것들은 필시 타틀린이 돈이나
      음식과 바꾸려고 그들에게 준 것이었을 것이다.
24   〔옮긴이〕본래 입체주의 회화에서 출발했던 타틀린은 유리, 금속,
      나무 등의 실제 질료를 콜라주하는 부조 작업으로 전환했는데,
      초기의 '회화적 부조'와 달리 '역부조'는 회화의 2차원 평면을
      완전히 벗어나 받침대 없이 철사와 밧줄에 매달린 채로 3차원
      공간(가령, 두 벽이 교차하는 모서리)에 설치되었다.

블라디미르 타틀린, 〈흰색 단지와 감자〉, 1948~51.

블라디미르 타틀린, 〈펼쳐진 책 위의 해골〉, 1948~53.

블라디미르 타틀린,
〈기쁨의 성배 장식 세트를 위한 컬러 스케치〉, 1949~50.

블라디미르 타틀린,
〈기쁨의 성배 장식 세트를 위한 컬러 스케치〉, 1949~50.

배경 세트들"을 닮았다.

사실 타틀린 기념탑의 건축적 모험은 복원적restorative 노스탤지어와 성찰적reflective 노스탤지어라는 두 가지 방향을 따라 전개되었다.[25] 탁월한 혁명적 건물이라는 표본적emblematic 이념은 스탈린에 의해 채택되었는데, 그는 제3인터내셔널의 꿈을 대체할 수 있는 궁극의 건물인 소비에트 궁전을 건설할 것을 제안했다. 스탈린의 계획에 따르면, 새로운 시대의 거대조각상—건축가 보리스 이오판Boris Iofan이 만든 조각들로 장식된 높이 416미터의 계단식 열주로 된 조각상—은 승리한 무신론의 성지로서 대성당을 계승할 뿐만 아니라 자유의 여신상과 엠파이어스테이트 빌딩을 향한 소비에트식 응답이 되어야만 했다.

이오판은 소비에트 궁전이 엠파이어스테이트 빌딩보다 8미터 더 높은 건물이 될 거라고 자랑스럽게 천명했다. 이 건

---

25   〔옮긴이〕복원적 노스탤지어와 성찰적 노스탤지어는 보임의
      가장 잘 알려진 유형론이다. 두 유형의 구별 자체는 『공통의
      장소』(1994)에서 이미 "유토피아적 향수"와 "반어적인 향수"라는
      용어로 등장한 바 있지만(pp. 477~78), 본격적인 고찰의 대상이 된
      것은 『노스탤지어의 미래The Future of Nostalgia』(2001)에서였다.
      이어지는 "소비에트 궁전" 프로젝트가 타틀린 탑의 유토피아를
      향한 첫번째 방향(복원적 노스탤지어)을 대변한다면, 뒤에
      상세히 다룰 전후戰後의 비공식 예술은 두번째 방향(성찰적
      노스탤지어)을 보여준다고 할 수 있다. 보다 상세한 내용은 옮긴이
      해설을 참조하라.

물의 꼭대기에 세워진 레닌 동상, 계몽된 인류의 앞길을 보여주듯이 손을 쭉 내뻗고 있는 무게 6000톤의 동상을 두고 소비에트 인민이 레닌의 눈을 볼 수 없다는 건 어불성설이라 비판했던 뱌체슬라프 몰로토프에게, 스탈린은 그건 문제 될 게 없다고 답했다. 소비에트 궁전은 역동적인 나선을 부동의 것으로 만들고, 헤겔의 변증법을 제국적인 합명제로 중단시키면서, 타틀린의 조형물이 재현의 개방성과 반항을 전시했던 바로 그 장소에 레닌의 동상을 가져다 놓았다.[26]

다른 한편으로, 타틀린의 기념탑은 20세기의 예술적 신화이자 전후戰後의 비공식 예술을 위한 영감이 되었다. 후자가 향수를 느낀 대상은 혁명 자체가 아니라 혁명적 상상력의 담대함이었다. 예술적 혁명과 사회적 혁명은 마치 테제와 안티테제처럼 종결되었다. 결국, 집단적 유토피아에 바쳐진 건설되지 못한 기념비는 개인적 꿈들과 이견의 자리를 기념하기 위한 기념품으로 바뀌었다.

이렇듯 타틀린의 기념탑은 도심의 트인 공간에 존재할 수 없는 운명이었다. 대신에 그것은 1960년대 이후 세계 곳곳에 건설된 수많은 모델들을 통해 두번째 생을 획득했다. 가장 충실한 모형 중 하나가 타틀린이 언젠가 일했던 모자이크 공장 바닥에 재건되었다. 이 작업은 타틀린의 스케치와 1920

---

26   Svetlana Boym, *The Future of Nostalgia*, New York : Basic Books, 2001, pp. 100~108을 보라.

43

ДВОРЕЦ СОВЕТОВ СССР

보리스 이오판·블라디미르 겔프레이흐·블라디미르 슈코·S. 메르쿨로프,
〈소비에트 궁전〉, 1946.

파리 현대예술국립미술관 조르주 퐁피두
센터에 전시된 〈타틀린 기념탑〉 모형,
1979. 사진: 에르베 레반돕스키.

뒤셀도르프 문화와 경제 포럼의 "탑의 꿈"
전시의 〈타틀린 기념탑〉 모형,
2004년 5월.

모데르나 미술관의 〈타틀린 기념탑〉
모형, 스톡홀름.

트레티야코프 미술관 신관의 〈타틀린
기념탑〉 모형, 모스크바, 1992~93.

년대 사진들을 면밀하게 분석한 러시아의 젊은 건축가와 디자이너 들에 의해 1986년부터 1991년까지 수행되었다. 아방가르드의 기예에 충실했던 타틀린은 이 프로젝트에 관한 전문적인 드로잉을 전혀 남기지 않음으로써 예측 불가능성과 상상력을 위한 공간을 마련했다. 타틀린을 향한 이 근래의 헌사는 소비에트 연방의 끝과—그리 오래 지속되지 못한—개혁 개방의 시작과 시기상 맞물려 있다. 결코 실현되지 못한 발본적인 혁명의 기념비인 그 기념탑은 "예술적 유산"의 일부로서 물리적 실존을 가지게 되었다.

타틀린의 탑은 애초부터 그것의 분신에 해당하는, 거의 건축 원본만큼이나 탁월한 담론적 기념비를 산출했다. 탑의 파격적인 건축〔양식〕을 인정했던 소수의 당대인 중 한 명이었던 시클롭스키는 그것을 낯설게하기의 건축으로 여겼다. 그것의 시간적 벡터는 과거와 미래, 즉 "오비디우스의 철기 시대"와 "지혜로운 화성인들처럼 아름다운 건설 크레인의 시대"를 가리키고 있다.[27] 건설 크레인, 지혜로운 화성인들 그리고 추방당한 시인 오비디우스가 모두 함께 탑의 건설에 협력했다. 시클롭스키는 이 탑에 관한 그의 에세이를 탑의 이례적인 질료들을 폭로하는 것으로 마무리한다. "이 기념비는 철과 유리 그리고 혁명으로 만들어졌다."[28] 혁명의 공기는 이 프로젝트의 비물질적인 아교풀로 기능했다. 그렇게 건축의 모더니

---

27   Viktor Shklovsky, "Pamiatnik tret'emu internatsionalu," in *Khod konia: sbornik statei*, Moscow and Berlin : Gelikon, 1923, pp. 108~11. 영어본은 "The Monument to the Third International," in *The Knight's Move*, Richard Sheldon(trans.), Dalkey Archive Press, 2005, pp. 69~70을 보라.

28   같은 책, p. 70. 번역은 영어본에서 하되 러시아어 원문을 참조해 일부 수정했다.

즘적 기능주의의 기원에 시적 기능이 자리했던 것이다.

탑의 "의미론"을 기술하면서, 시클롭스키는 시에 관해 이야기한다. "시 속의 단어는 그냥 단어가 아니다, 그것은 수십 개의 연상들을 함께 몰고 다닌다. 마치 한겨울 돌풍을 만드는 페테르부르크의 공기처럼 이 작품은 그런 연상들로 가득 차 있다.[29]

요컨대 그 탑은 단지 공학적 실패가 아니라 구축주의 건축의 모범적인 사례연구였다. 건축은 "원原; archi-예술," 말하자면 세계관을 위한 골조이자 미래주의적인 꿈을 위한 사체 carcass로서 상상되었다. 이는 구축된 환경이라는 [일반적인] 의미의 건축을 확대하는 동시에 축소시켰다. 혁명적 건축은 미래의 실험을 위한 도법scenography을 제공했으며 혁명의 알레고리들을 체현했다. 이 "원-예술"의 많은 중요한 사례들은 건설된 기념비라기보다는 오히려 꿈에 그리던 환경이나 의도치 않은 위령탑에 해당했다. 시클롭스키는 자기만의 유희적 폐허/건설 현장을 묘사하면서, 낯설게하기의 전복적 실천을 위한 기초를 놓았다.

시클롭스키가 자유의 여신상의 소비에트 버전을 최초로 묘사한 사람이라는 사실은 잘 알려져 있지 않다. 페트로그라드, 모스크바 그리고 베를린에서 쓰여진 『기사 말의 행보*The*

---

29   같은 곳.

Knight's Move』(1919~21)라는 제목의 에세이 혹은 단상 모음
집에서 시클롭스키는 역사적 기념비들의 변신metamorphosis
에 관한 경구를 독자에게 제공했다. 그것은 혁명 이후 러시
아의 상황에 관한 "진실 전체" 혹은 그가 표현하길 "4분의 1
의 진실"도 말하지 않는 것에 대한 기이한 알리바이로 기능
했다. 1918년에 페트로그라드에서 차르 알렉산드르 3세의
동상은 자유, 예술 그리고 혁명을 기념하는 온갖 슬로건으로
뒤덮인 널빤지 가판들로 덧씌워져 있었다.[30] 이 "자유의 기
념비"는 스탈린 시기의 화강암 과대망상증이 시작되기 이전,
그러니까 혁명 직후의 "시각적 프로파간다"의 사례에 해당하
는 한시적인 비재현적 기념비들 중 하나다. 시클롭스키가 이
야기를 소개하는 방식은 이렇다.

> 아니다. 진실이 아니다. 진실 전체가 아니다. 심지어 4분의
> 1의 진실도 아니다. 내 영혼을 깨우게 될까 봐 차마 말할 용
> 기가 없다. 난 영혼을 계속 재웠고 아무것도 듣지 못하게

---

30   이 동상은 1909년 조각가 파올로 트루베츠코이Paolo Trubetskoi에
      의해 현재의 모스크바 역 근방 보스타니에 광장에 해당하는
      당시의 니콜라이 역 근방 즈나멘스키 광장에 세워졌다.
      〔옮긴이〕건립 당시부터 반응이 좋지 않았던 이 동상을 둘러싸고
      1917년 2월 혁명 직후부터 논란이 불거졌고, 결국 1918년에
      철 지난 제국의 동상을 대신할 소비에트판 "자유의 기념비"를
      건립하기로 결정했다. 그에 따라 임시로 나무판자를 둘러쳐
      동상을 가려놓았던 것이다.

1918년 10월 23일 러시아 혁명 일주년을 기념하여 보스타니예 광장에 세워진
소비에트 "자유의 기념비," 페트로그라드(현 상트페테르부르크).

책으로 덮어놓았다…

니콜라이 역 근처에 묘비석 하나가 있다. 점토로 된 말이 점토 주군을 태운 채로 다리를 벌리고 서 있다… 그것은 사면에 박힌 기다란 철 장대와 "자유의 기념비"를 위한 나무 판자로 만든 임시 파수막으로 둘러싸여 있다. 총을 든 경찰들이 거리의 담배팔이 소년들을 영혼의 안식처인 소년원으로 보내려고 체포하려 할 때면, 소년들은 흩어지면서 능숙하게 휘파람을 불고, 꺼지라고 외치면서 "자유의 기념비" 쪽으로 달려간다.

그런 후에 소년들은 바로 그 이상한 장소에 몸을 피하는 것이다―차르와 혁명 사이의 나무판자 아래 그 텅 빈 공간에서.[31]

시클롭스키의 묘사에서 차르의 기념비는 아직 완전히 파괴되지 않았고 자유의 기념비는 건설이 완결되지 않았다. 이런 이중의 정치적 상징이 예기치 않은 방식으로 활기차면서도 양가적인 도심의 거점으로 변모하는데, 그 거점은 페트로그라드 거리의 반항적인 아이들이 차지하고 있다(시클롭스

---

31   Viktor Shklovsky, "Svobodnyi port," 같은 책, pp. 196~97. 영어본은
      "A Free Port," 같은 책, pp. 126~27을 보라.

키는 공공연하게 프랑스 혁명과 그것의 소설적 재현들을 암시하면서, 이 아이들을 "페트로그라드의 가브로슈들"이라고 칭한다). 이 묘사에서 기념비는 내부를 얻게 되는데, 즉 공적 공간이 피신처가 되는 것이다. 시클롭스키는 자신의 관점을 "차르와 혁명 사이에" 숨는 거리의 아이들의 위험한 게임과 동일시하면서 제3의 길, 일시적이고 유희적인 자유의 건축을 위한 길을 찾고 있다.[32] 그는 차르의 권위와 혁명의 자유의 신학 양자 모두를 낯설게 만드는 이중의 소격을 실행하고 있다. 여기서 "제3의 길"은 시간적이고 공간적인 역설을 시사한다. 역사적인 전환의 국면에 포착된 기념비는 발터 벤야민이 "정지의 변증법dialectic at a standstill"이라 부른 것을 체현한다. 소비에트 최초의 자유의 동상은 폐허인 동시에 건설 현장이었다. 즉 그것은 러시아 역사의 다양한 버전이 공존하며 부딪히는, 과거와 미래 사이의 틈새를 점유했던 것이다.[33]

32   이런 "비스듬한" 유희적 건축은 바로크적인 왜상anamorphosis의 형상에 비견될 수 있다. 홀바인의 유명한 그림 〈대사들The Ambassadors〉(1533)에서처럼, 그것은 혁명의 장롱 속에 있는 두개골과 "해골들"을 폭로한다. 여기서 그것은 혁명의 재교육에서 벗어나려고 하는 거리의 아이들의 위험한 게임으로 형상화된다. 내가 왜상 개념에 관심을 갖도록 이끌어준 타티아나 스몰리아로바Tatiana Smoliarova에게 감사한다.

33   〔옮긴이〕 여기서 시클롭스키가 주목하고 있는 것은 이 기념비의 일시적이고 유희적인 양가성, 그러니까 과거(차르의 기념비)는 아직 완전히 파괴되지 않았고 미래(자유의 기념비)는 아직 건설이 완결되지 않은 상태라는 복합적인 시간성이다. 말하자면

시클롭스키의 경구에 담긴 양가성은 작가 자신의 위태로운 정치적 상황을 드러낸다. 형식주의 이론의 창시자 시클롭스키는 비록 짧기는 해도 꽤 모험적인 정치적 이력을 가졌다. 그는 제1차 세계대전에 참전했고 탁월한 용맹함으로 성 게오르기 십자훈장을 받았다. 두 번씩이나 중상을 입었고 몸에 열일곱 개의 파편 조각이 박혀 군 병원에서 수술을 받았다. 본인의 회상에 따르면 고통을 잊기 위해 수술을 집도하는 의사 앞에서 벨리미르 흘레브니코프Velimir Khlebnikov의 시를 암송했다고 한다. 그는 2월 혁명을 지지했지만 처음에는 1917년 10월의 사태를 반기지 않았다. 실제로 시클롭스키는 1918년에 볼셰비키에 의한 의회 해산에 반대투표를 했던 사회혁명당에 가입했으며, 이후 반反볼셰비키 쿠데타 조직원 중 한 명이 되었다. 시클롭스키는 (당시 막심 고리키가 그랬듯이) 민주적 자유의 옹호자였다. 혁명 이후 그가 쓴 많은 자전적 저술들의 행간에 공적 자유에 관한 담론이, 대개는 프랑스 혁명이나 사회계약론에 관한 논의들 속에 녹아들어 있음을 확인할 수 있다. 다소 시대착오적인 묘사를 활용하자면, 그것은 "인간의 얼굴을 한 사회주의"의 시클롭스키식 판본이었다. 체포와 혹여 있을지도 모를 처형의 위협 속에서 그는 얼어붙은 핀란드 만 국경을 건너 마침내 베를린에 당도했다.

그것은 '이중의 시간대'가 공존하는 예외적 시공간으로, 그 점에서 벤야민이 말한 "정지의 변증법"의 '응결된' 시간성과 일맥상통한다.

『기사 말의 행보』는 망명 작가가 된 그가 아내가 인질로 잡혀 있는 러시아로 되돌아가야 할지를 고민하는 과정에서 쓰였다. 자유의 기념비에 관한 그의 경구는 혁명의 변천 및 〔그 과정에서〕 상실된 수많은 기회들에 대한 알레고리가 되었다.

이렇게 해서 시클롭스키의 자유의 기념비는 그가 가장 아끼는 장치인 오스트라네니예, 즉 낯설게하기에 바치는 기념비가 되었다. 이 기법 또한 혁명 이후 변신을 겪었던바, 텍스트로부터 삶으로 "이주한다emigrate." 시클롭스키가 자신의 초창기 에세이 「기법으로서의 예술」에서 거리두기(즉 이격 혹은 데페이즈망dépaysement)와 이상하게 만들기making strange를 동시에 시사하기 위한 방법으로 오스트라네니예라는 신조어를 고안했음을 상기하자.[34] stran은 나라를 뜻하

34   Victor Shklovsky, "Art as Technique," in *Russian Formalist Criticism:*
      Four Essays, Lee T. Lemon and Marion J. Reis(ed. and Trans.),
      Lincoln : University of Nebraska Press, 1965, pp. 3~24. 러시아어
      원본은 "Iskusstvo kak priem," *O teorii prozy*, Moscow : Sovetskii
      pisatel, 1983. 더 상세한 논의는 Svetlana Boym, "Poetics and
      Politics of Estrangement : Victor Shklovsky and Hannah Arendt,"
      Poetics Today, vol. 26, no. 4(2005), pp. 581~611을 보라.
      〔옮긴이〕 "낯설게하기" 개념을 처음 제시한 시클롭스키의 에세이
      제목 Iskusstvo kak priem을 최초의 영역본(Victor Shklovsky,
      "Art as Device," *Theory of Prose*, Benjamin Sher(tarns,), Kalkey
      Archive Press, 1990)에서는 Art as Technique으로 옮겼고, 이에
      대한 우리말 번역어로 "기법으로서의 예술"이 통용되어왔다.
      하지만 technique을 device로 바꿔 번역한 새 영역본(1990)이
      나온 이후로 "장치"라는 용어가 훨씬 더 선호되는 상황이다. 한편,

〈기사 말의 행보 다이어그램〉, 빅토르 시클롭스키, 『기사 말의 행보』, 1923.

는 러시아어 strana의 어근이면서 이상한 것을 가리키는 말인 strannyi의 어근이기도 한데, 라틴어 어근과 슬라브어 어근이 서로에게 입혀지면서, 그릇된 어원학과 시적 연상의 풍요를 창출했다. 시클롭스키가 시적 언어란 언제나 다소간 외국어라는 아리스토텔레스의 관찰을 인용하는 것은 우연이 아니다. 여기서의 외국성은 소외가 아닌 유인을 자극하는, 시적이고 생산적인 종류의 외래성이다. 애초부터 시클롭스키의 오스트라네니예는 흔히 러시아어로 오트체즈데니예 otchuzhdenie로 번역되곤 하는 소외alienation와는 다르게 정의된다. 시클롭스키의 낯설게하기 이론은 효율성과 유용한 지출이라는 경제적이고 실용적인 담론과 대립하려는 의도로 만들어진 것이다. 낯설게하기 장치는 예술의 결과물이 아니라 그것의 과정에, 대단원을 저지하고 미루는 것에, 인지적인 양가성과 유희에 방점을 둔다. 예술가는 사물들을 이상하게 만듦으로서 그것들을 일상적 맥락으로부터 예술적 프레임으로 옮겨놓기만 하는 게 아니다. 그와 더불어 예술가는 삶 자

시클롭스키가 만든 신조어인 ostranenie 역시 처음에는 making strange나 defamiliarization 같은 의역어가 쓰였으나, 최근에는 estrangement라는 번역어가 주로 통용되고 있다. 이 번역어는 원어에 들어 있는 어근 stran(이상한)을 그대로 살려주고 있을 뿐 아니라 단어 자체가 낯선 생경함을 준다는 장점을 갖는다. 보임 역시 이 책에서 이 단어를 사용하고 있는바, ostranenie는 "오스트라네니예"로, estrangement는 "낯설게하기"로 각각 옮기기로 한다.

56

체에 "감각을 되돌려줄" 수 있도록, 세계를 재발명하고 관찰자로 하여금 그것을 새롭게 경험할 수 있도록 돕고 있다. 낯설게하기는 예술을 예술적이게 만들어준다. 하지만 똑같은 정도로, 그것은 삶을 삶답게, 살아갈 가치가 있게 만들어준다.[35]

시클롭스키의 관점에서 낯설게하기는 경탄의 훈련, 세계를 거대한 답변의 무대화가 아니라 질문으로서 사유하기 위한 연습이다. 따라서 낯설게하기는 예술과 삶 사이의 경계를 까발리지만 결코 그것을 흐려놓거나 없애버리려 하지 않는다. 그것은 삶을 매끄럽게 예술로 재봉질하는 일도, 정치의 전면적인 미학화도 촉진할 생각이 없다. 예술은 그것이 실제

---

35   〔옮긴이〕「기법으로서의 예술」에 나오는 유명한 언급에 따르면, 우리가 예술을 통해 주변 세계를 (재)발견하지 못할 때, 그것은 다음과 같은 끔찍한 상황을 야기하게 된다. "삶은 우리에게 아무것도 주지 못하고 사라진다. 자동화는 사물들, 옷, 가구, 아내 그리고 전쟁의 공포를 집어삼킨다." 요컨대, 낯설게하기는 이런 비존재의 상태를 일깨우기 위한 처방적 전략으로, 예술이라는 일그러뜨림이 요구되는 이유는 "잃어버린 삶의 감각을 회복"시키기 위해서이다. "돌을 돌답게"로 표현되는 예술의 목적이 이와 관련된다. "여기에서 삶의 감각을 되돌려주고 사물을 느끼기 위해서, 돌을 돌답게 만들어주기 위해서 예술이라 불리는 것이 존재한다. 예술의 목적은 사물에 대한 느낌을 알려져 있는 대로가 아니라 지각된 대로 느끼게 하는 데 있다." "낯설게하기" 개념을 비롯한 러시아 형식주의에 관한 더 상세한 내용은 김수환, 「러시아 형식주의: 혁명적 문학이론의 기원」, 『러시아어문학연구논집』 Vol. 57, 2017, pp. 7~35 참조.

삶이나 실제정치realpolitik에 통째로 봉사하지 않을 경우에만,
즉 그것의 이상함과 차별성이 유지될 경우에만 의미가 있다.
따라서 낯설게하기 장치는 예술의 자치autonomy를 정의하는
동시에 그것을 거역한다.

낯설게하기에 대한 이런 식의 이해는 소외에 관한 헤겔
과 마르크스식 개념 모두와 다르다. 예술적 낯설게하기는 합
병이나 종합 혹은 귀속을 통해 치유되지 않는다. 소외의 극복
으로 이해되는 마르크스주의적인 자유 개념과 반대로, 시클
롭스키의 낯설게하기는 그 자체로 모든 현대적인 신학에 의
해 위협받는 제한된 자유의 형식이다. 그것은 시스템의 건설
에 관한 것이 아니다. 그것은 삶과 예술을 결과물이 아니라
계속되는 기획으로서 사유하는 일에 관한 것이다.[36] 낯설게

36 시클롭스키는 그가 '떠돌이 개stray dog'라는 이름의 카바레
무대에서 낭독했던, 문학 비평에서의 최초의 혁명적 실천이라 할
에세이 「말의 부활」(1914)에서 근방의 넵스키 거리에서 찾아볼
수 있는 실증주의적인 절충주의 스타일 건물들의 장식적이고
비기능적인 아치들을 "건축적 부조리"의 사례, 즉 구조와
기능을 습관적으로 무시한 것으로 묘사했다. Viktor Shklovsky,
Gamburgskii schet: stat'i-vospominaniia-esse(1914~1933), Moscow :
Sovetskii pisatel, 1990. 1920년대 내내 시클롭스키는 자신의
고유한 병행parallelism 개념을 발전시켰다. 여기서 "병행"이라는
단어는 오해의 소지가 있는데, 특히 유클리드 기하학의 관점에서
그러하다. 로바쳅스키 기하학에 대한 고골식 판본을 기술하는
나보코프의 표현을 빌리자면, "만일 선분들이 서로 만나지
않는다면, 그건 그것들이 만날 수 없어서가 아니라 무언가 다른
할 일들이 있기 때문이다." Vladimir Nabokov, *Lectures on Russian*

58

하기는 하나의 제스처나 기예 이상의 것으로, "차르와 혁명 사이"의 공백emptiness에 존재하는 모종의 유토피아적 건축을 그려낸다. 시클롭스키가 상상했던 자유의 건축은 현대 건축의 기능주의가 아니라 기사 말의 행보 혹은 로바쳅스키적 평행선에 의해 조형된 시적 기능에 의해 표상되었다. 다른 동시대인들과 마찬가지로 시클롭스키는, 아인슈타인의 상대성 이론부터 니콜라이 로바쳅스키Nicholai Lobachevsky의 비非유클리드 기하학에 이르는 현대 과학에 매료되었다. 시클롭스키의『기사 말의 행보』는 바로크 문양 같은 격자무늬 공간을 사선을 따라 비스듬하게 지그재그로 움직이는 기사 말의 움직임과, 그 뒤에 이어지는 다음의 진술로 시작된다.

기사 말의 이상한 행보에는 여러 가지 이유가 있다. 가장 중요한 이유는 예술의 관례성이다. 나는 예술의 관례성에 관해 쓴다. 두번째 이유는 그 기사가 자유롭지 않다는 것인데, 즉 그는 앞으로 움직이는 것이 금지되어 있다. [⋯]

러시아에서는 모든 것이 너무나 모순적인 나머지 의도치

Literature, Fredson Bowers(ed.), New York : Harcourt Brace Jovanovich/Bruccoli Clark, 1981, p. 58. 시클롭스키의 문학적 병행주의는 아이러니, 유비, 알레고리 들 사이에서, 말하자면 중복, 이원 의미 혹은 다르게 말하기에 근거를 둔 모든 종류의 수사학적 형상들 사이에서 머뭇거린다.

않게 우리 모두가 기지를 발휘하게 된다. [⋯] 우리의 일그러진 길은 용감한 자들의 길이다. 하지만 달리 어쩌겠는가, 우리는 두 눈을 갖고 있으며, 충직한 졸병들이나 충실하게 한 길만 가는 왕보다 더 많은 것을 볼 수 있는데?[37]

기사의 사행하는 노선은 "용감한" 문학사상가로 하여금 표면 너머를 보도록, 그래서 유희적 공적 영역을 포함하는 대안적 기획을 발전시킬 수 있도록 허용한다. 하지만 소비에트에서 그와 같은 자유의 건축과 비공식적인 낯설게하기는 오래 살아남을 수 없었다. 시클롭스키는 형식주의적 바로크, 혁명에 대한 불분명한 태도, 신新-칸트주의, 부르주아적 제3의 사유, "이데올로기 전선에서의 중립화" 및 그 밖의 악덕을 행했다고 비난받았다. 시클롭스키와 그의 동료 유리 티냐노프Yuri Tynianov의 젊은 제자이면서 그 자신이 문학비평가였던 리디야 긴즈부르그는 1927년 일기에 이렇게 적었다. "장치를 노출하는 흥겨운 시대는 지나갔다(진정한 작가 시클롭스키를 우리에게 남겨두고). 이제는 가급적 최대한 장치를 숨겨야 하는 시대다."[38] 1920년대 후반에 이르면 낯설게하기의 미적

---

37   Viktor Shklovsky, "Vstuplenie pervoe" in *Khod konia: sbornik statei*, pp. 9~10. 영어본은 "First Preface," in *The Knight's Move*, pp. 3~4, 28을 보라. Lydia Ginsburg, "Zapiski"(1927), in *Chelovek za pis'mennym stolom*, Leningrad : Sovetskii pisatel, 1989, p. 59를 보라.

38   Lydia Ginsburg, 같은 곳.

실천은 정치적으로 미심쩍은 일이 되었다. 1930년대에는 지적인 범죄로 바뀌었다. 그가 쓴 저술들을 향한 계속된 공격과 이데올로기적·서사적 일관성을 지키라는 공식적인 요구들에도 불구하고, 시클롭스키는 자신의 텍스트들에서 이전의 장치들을 거의 바꾸지 않고 그대로 사용했다. 그는 1984년 사망할 때까지 이제는 멸종되다시피 한 "형식주의자 조합"의 이솝Aesop의 언어[39]를 계속 사용해 말했다. 자신을 겨누었던 오만 가지 캠페인들을 기적적으로 피해 가면서, 시클롭스키는 위대한 이론가–이야기꾼으로 남았다. 그와 비슷하게 "형식주의적 바로크"의 독특한 스타일로, 자기 모순으로 가득 찬 정교한 경구들을 사용해 이야기했던 발터 벤야민이 그랬듯이. 결국 형식주의 비평가는 문학 과학을 실천했다기보다는 소비에트 문학적 공론장의 종말을 서술했다고 볼 수 있다.

1926년에 시클롭스키는 1920년대 소비에트 작가에게는 두 가지 선택지가 있다고 썼다. 책상 서랍에 들어갈 원고를 쓰거나 아니면 국가의 요구에 따라 쓰거나. "세번째 대안은 존재하지 않는다. 하지만 바로 그것이 선택되어야만 할 길이다."[40] 시클롭스키가 시사하는 것은 작가란 미리 정해진 두

---

39   〔옮긴이〕 소비에트에서 정치적 검열을 피하기 위해 작가들이
      사용했던 알레고리적인 암시의 기법을 가리키는 말.

40   Viktor Shklovsky, *Tret'ia fabrika*, Moscow: Krug, 1926, pp. 47~49.
      이에 관한 배경적 맥락에 관해서는 Richard Sheldon, "Viktor
      Shklovsky and the Device of Ostensible Surrender," in Viktor

61

개의 평행한 레일을 따라 달리는 거리의 자동차가 아니라는 것이다. 하지만 내가 여기에서 보게 되는 것은 시클롭스키의 낯설게하기의 건축과, 예기치 못한 자유의 제3의 길을 찾으려는 한나 아렌트의 시도 사이에 존재하는 "대응parallelism"이다. 아렌트는 사람들을 "근대적인 삶의 자동화 및 일상화" 너머로 몰고 가는, 무언가 "근본적으로 이상한 것"으로 자유를 묘사한 바 있다.[41] 시클롭스키에게 오스트라네니예가 세계로부터의 낯설게하기가 아니라 세계의 갱신을 위한 낯설게하기인 것과 마찬가지로, 아렌트는 점근 곡선과 사선을 꿈꾸면서 문학과 철학 그리고 극장의 도움을 받아 자유의 예측 불가능한 건축을 상상한다. 그녀의 에세이 「자유란 무엇인가?」는 희망 없음에 대한 성찰로 시작된다. "자유란 무엇인가라는 질문을 제기하는 일은 가망 없는 기획enterprise인 듯하다.[42] 철학자들에게 자유 혹은 그 반대를 인식하는 것은 불가능해 보이는데, 왜냐하면 그것은 사각형으로 된 원이라는 개념을 깨닫는 것과 같기 때문이다. 사각형과 원 사이의 점근

　　　　Shklovsky, *Third Factory*, Richard Sheldon, Ann Arbor(ed. and trans.), MI: Ardis, 1977, vii~xxx를 보라.

41　　　Hannah Arendt, "What Is Freedom?" in *Between Past and Future*, London: Penguin, 1979, pp. 143~73. 〔한국어판은 「자유란 무엇인가?」, 『과거와 미래 사이』, 서유경 옮김, 푸른숲, 2005, pp. 196~233.〕

42　　　같은 글, p. 143. 〔한국어판, p. 196.〕

선적인 공간이야말로 인간 자유에 대한 최적의 표상일 것이다. 아렌트의 에세이들에서 상상의 건축 공간은 철학자를 한 계치의 자유라는 대담한 사선에 투사한다. 시클롭스키의 기사 말의 행보의 아렌트식 버전.

서구에서의 자유 이념의 계보학을 추적하면서, 아렌트는 그 이념의 기원을 개인 심리의 내적 성채citadel도 아니고 국가의 정치학도 아닌 폴리스polis라는 공적 공간에서 발견한다. 내적 자유라는 스토아주의적 개념이 제국의 세기에 발전된 것은 놀랍지 않다. 스토아주의 철학자들 또한 "내적인 폴리스"를 이야기하면서 건축의 메타포를 사용했다. 해방과 달리, 공적 자유는 공적 장소와 민주적 제도 없이 존재할 수 없다. 그런데 자유의 경험은 절차적 민주주의에 한정되지 않는다. 아렌트에게 자유란 곧 공적 무대 위에서의 행위와 유사하다. 가령, 공통의 언어를 요구하지만 그와 더불어 얼마간의 계산 불가능성과 운, 기회와 희망, 놀라움과 경이를 필요로 하는 그런 행위 말이다. 자유에 관해 이야기하기 위해 아렌트는 미적인 메타포들을 사용한다. 자유는 예술의 일종인데, 다만 그 모델이 조형예술이 아니라 행위예술이다. 여기서 아렌트의 자유의 예술 개념이 정치학에서의 "종합작업total work" 개념과 완전히 다르다는 사실이 중요하다. 그것은 미적 실천의 비非-바그너적인 개념을 수반하는데, 즉 결과물이 아니라 과정에 집중한다. 미학적으로 세계를 사유하고 경험한다는 것은 저자가 걸작을 만들어내는 것을 뜻하지 않는다. 오히려 그 반대로, 행동하고 생각하고 판단할 것을 수반하는 아렌트적인 미적 실천은 새로운 카리스마적 신화를 만들어내려는 모든 시도를 발가벗긴다. 아렌트의 자유의 철학은 실존적·철학적·미학적 차원들을 매개한다.

공적 영역에 대한 아렌트식 개념은 적과 동지 사이의 투쟁이라는 이원론적이고 유사-신학적인 카를 슈미트의 모델과도 극단적으로 구별된다. 후자는 공적 공간을 본원적인 권력 투쟁을 가리는 허위의 위장막으로 바꿔버린다. 아렌트는 시클롭스키에 더 가깝게 자유와 공적 건축을 "이원론"이 아닌 "삼원론의 형식"을 통해 사유한다.[43] 자유는 주권적인 것

43 형식주의의 전통 내에서 두 가지 이론을 구별할 수 있는데, 하나가 구조언어학 쪽으로 움직이면서 사유의 이원적 구조를 발전시킨 이론이라면, 다른 하나는 문화이론 쪽으로 스스로를 전향시킨 사람들이다. 앞선 그룹의 가장 잘 알려진 대표자는 로만 야콥슨으로 형식주의 이론과 역사를 둘러싼 초창기 해석의 상당 부분은 그로부터 연유한다. 하지만 상대적으로 서구에 덜 알려진 다른 이론가와 비평가 들, 가령 시클롭스키를 비롯해 유리 티냐노프, 보리스 예이헨바움Boris Eikhenbaum, 보리스 토마솁스키Boris Tomashevsky는 특히 문화의 영역 속에서 사유의 세번째 노선을 향해 움직여갔다. 〔옮긴이〕 형식주의 전통 내부의 "이원론"과 "삼원론"에 대한 이런 지적은, 자연스럽게 유리 로트만의 저명한 구분, 즉 러시아 문화의 "이원적 구조"와 서구 문화의 "삼원적 구조" 사이의 대립을 떠올리게 한다(김수환, 『책에 따라 살기』, 문학과지성사, 2014 참조). 보임은 『공통의 장소들』 1장에서 일상byt과 존재bytie 사이의 특징적인 대립을 논하면서,

sovereign이 아니라 다공적porous이고 개방적인 것이다. 자유의 공간은 투쟁적agonistic이지 않고 불가지적agnostic이다. 아렌트가 투쟁에 관심이 있다면, 폭력을 정치의 한계로 간주한다는 점에서 그러하다. 그녀에게는 신화적인 낭만주의나 카리스마적인 희생의 신학을 향한 선호가 없다.

요컨대, 우리는 낯설게하기의 두 가지 유형을 구별할 수 있다. 나라면 그것을 세계로부터의 낯설게하기와 세계를 위한 낯설게하기라고 부르겠다. 세계로부터의 낯설게하기는 내적 자유에 대한 스토아주의적 개념, 그리고 낭만적 주체성 및 내면적 성찰에 그 기원을 둔다. 세계를 위한 낯설게하기는 복수성, 인간적 상호작용의 그물, 비판적 판단 및 자유에 대한 인정을 가리킨다. 시클롭스키와 아렌트에게 공히 자유의 건축이란 언제나 완결 불가능성과 실험의 공간을 뜻한다. 후자는 문화적 형식과 정치적 제도 들에 의존하지만, 결코 그것들에 의해 온전히 제한되지 않는다. 자유는 공동-창조의 기획이지 완결된 결과물이나 두드러지게 일관된 논리적 사유 체계가 아니다. 바로 이 점이 그것을 오프모던 시학에 가깝게 가져다 놓는다.

로트만의 이 구분을 상세히 인용한 바 있다(『공통의 장소들』, pp. 60~61).

65

많은 타틀린의 동시대인들, 동료 아방가르드 화가와 작가 들에게 그의 기념탑은 낯설게하기의 작업을 예시하는 것이었다. 애초에 그 탑이 실제로 구현될 건물이 아니라 모델이나 기획project으로서 알려졌다는 사실 자체가 그 시대의 가능성과 모순 들을 반영하고 있다. 따라서 수십 년간 많은 건축가들이 골몰했던 주제인 건설의 기술적 가능성이 아니라, 간매체적이고 과도기적인 건축, 가능성의 건축이라 불릴 법한 새로운 차원을 여는 하나의 모델이자 기획으로서 그 탑을 둘러싼 실제 역사를 생각해보는 편이 더욱 생산적일 것이다. 이탑의 경우, 기획은 그저 그렇게 끝나버린 것도, 막다른 골목에 이른 것도 아니었다. 그것은 실용적인 청사진이 아니라 가능성과 영감 들의 도가니이다. "오프모던"의 대안적 역사에서 기획과 모델은 핵심적인 부분을 차지한다. 러시아 아방가르드의 맥락에서 예술가와 건축가 들은 흔히 작가들이기도했다. 종종 "서랍에 보관하기 위해" 작성된 그들의 다면적인 결과물은 출판과 건설이 점점 더 힘들어져가던 시기에 또 다른 종류의 "종합예술작품"에 해당했던바, 그것은 어쩔 수 없이 파편화되어 반체제 아방가르드 예술을 형성하게 되었던 것이다.

카지미르 말레비치의 후기 작품들은 형상과 추상 그리고 재현의 정치학 문제를 둘러싸고 여전히 수많은 논의를 불러일으키고 있는데, 후기 회화들에 비해 상대적으로 덜 수수께끼 같다고 여겨지는 그의 저술들을 통해 1920년대의 예술적·정치적 상황에 관한 통찰을 얻을 수 있다. 1929년에 말레비치는 과거 자신이 타틀린의 작품을 조각과 건축의 종합으로 보았던 것을 회고하면서 이렇게 썼다. "그에게 가장 중요했던 것은 실용적 기능들의 조합이 아니라 예술적 측면과 질료의 연합에 기능을 덧붙이는 것이었다. […] 질료는 언제나 실용성과의 관계가 아니라 예술적 인상에 의거해 선택되었다."⁴⁴ 여기서 관건이 되는 것은 예술적인 것과 실용적인 것의 대립보다는 오히려 그것들 사이의 비투쟁적인 관계에 대한 주장이다. 부분적으로 이런 주장은 러시아 문화에서 예술이 차지하는 과대망상적인 역할에 기인한다. 러시아에서 예술(처음에는 문학, 이후에는 시각 예술)은 종종 철학, 정치, 종교의 형식, 솔제니친의 말을 빌리자면 심지어 "두번째 정부"로 인식되었다. 러시아 아방가르드의 급진적인 상상력은 자주 "유토피아"의 범주에 포함되곤 했는데, 바로 이 점이 러

44   Kazimir Malevich, "On Tatlin," in *Novaia Generatsiia* (Kharkov) 8(1929); in *Vladimir Tatlin*, Troels Andersen(trans.), *Moderna museets katalog*, vol. 75, Stockholm: Moderna Museet, 1968, p. 66.

시아와 서구의 이론가들이 함께 애지중지해온 이국적인 색채를 더해주었다. 사실 아방가르드 내부에는 훨씬 더 커다란 다양성이 존재했으며, 내가 보기에 아방가르드적 상상력의 발본성은 정확하게 그것의 아토피아적인atopian 혹은 헤테로토피아적인heterotopian 성격에 있다.

서구에게 러시아는 위대한 기획들의 나라였다. 이것은 현실보다는 서구의 꿈과 더 관련이 있다. 미국과 서유럽의 개념 예술에서 뒤샹과 마찬가지로 중요한 인물인 타틀린은 알려진 바가 매우 적기 때문에, 스테판 반의 말을 빌리자면, 동시대 서구 구경꾼들의 관심과 개입을 끌어들이는 "진공" 같은 것이 되어버렸다.[45] 타틀린의 특별한 소비에트 역사로부터 배울 필요가, 편의적으로 무언가를 삭제해버리지 않고 그것과 직면할 필요가 있다. 형식주의자들과 타틀린의 동시대인이었던 논쟁적인 소비에트 작가 일리야 예렌부르크는 "스토브 연기에 검게 그을린 헐린 건물들" 옆에서 타틀린의 기념비를 본 후에 공유하게 된 백일몽에 바치는 담론적 기념비를 제공한 바 있다.

매우 감동적이었다. 소비에트 사무 노동자들이 말먹이를

45   Stephen Bann, "Introduction," in *Global Conceptualism: Points of Origin, 1950~1980*, exhibition catalogue, New York : Queens Museum of Art, 1999, pp. 73~84.

배급받아 가는 중이었다. 한 소년이 케이크 부스러기를 팔고 있었다. 나로 말할 것 같으면, 광장 한가운데 서 있었는데, 문명 시기에는 작은 정원 같은 것이 들어서 있던 곳이다. 나는 두 명의 예술가와 함께 서 있었고, 우리는 철의 가능성을 꿈꾸고 있었다. 추위 때문에 우리는 같은 곳을 왔다 갔다 하면서 마치 열정적인 남쪽 지방 사람들마냥 손짓 발짓을 했다. 우리는 제3인터내셔널에 바치는 타틀린의 기념비 모델을 본 후 백일몽 상태에 빠져들었는데, 여기에는 이유가 없지 않았다. 흰 눈썹을 가진 스스로 깨우친 이 예언자(장인을 닮은)는 제국 페테르부르크의 폐허 위에 명확한 표지를 세웠다. 새로운 건축의 시작을 알리는.

그의 장점들을 간략히 회고해보자. 우월한 힘의 간계에 의해 우리의 광장에 4분할된 석고 바보들gypsovye kretiny이 유행하는 가운데(잠깐이었지만! 비바람을 내려준 것에 대해 신에게 감사를) 갑자기 무언가 단순하고 명확한 것이 도래했다. 수염 기른 친구들이여, 이제 됐다네. 인형과 노는 일은 그만두게나.[46]

46   Ilya Ehrenburg, *E pur se muove*, Berlin: Gelicon, 1922, p. 18.
      〔옮긴이〕 마지막 구절은 타틀린의 기념비에 대한 시인
      마야콥스키의 유명한 반응("최초의 수염 없는 기념비"이자
      "10월의 세기가 낳은 예술의 최초의 사물들")을 염두에 둔 것이다.

레닌이 "기념비 프로파간다"라고 공표하고 예렌부르크가 공격했던 "석고 바보들" 가운데는 카를 마르크스도 있었는데, 석고로 된 그의 머리는 동시대의 사유에 바치는 헌사로 아시리아 이발사가 다듬은 것이었다.[47] 타틀린의 기획은 막 움트기 시작하던 지도자와 당을 향한 숭배를 거역했다. 그것은 현재의 힘겨운 상황뿐 아니라 이제 막 떠오르는 미래의 소비에트 건축 또한 낯설게 만들었다. 후자는 결국 전통적 형식으로 되돌아가서 스탈린의 개인적 승인에 의존하게 될 것이었다. 예렌부르크는 혁명 이후 세기의 삶의 한 단편을 제공하는데, 그것은 우리에게 의식의 실험실이라 할 만한 건축의 서사적 삶에 관한 통찰을 주고 있다.

하지만 타틀린의 기념비에 대한 가장 충격적인 평가

47   같은 책, pp. 8~22. 〔옮긴이〕 여기서 말하는 "석고 바보들"은
      1917년 혁명 직후 레닌의 명령에 따라 인민계몽위원회 위원장
      루나차르스키Anatory Lunacharsky의 주도로 모스크바 거리
      곳곳에 세워진 "사회주의를 위해 싸운 위대한 혁명가와 투사 들"의
      동상을 가리킨다. 레닌에 의해 "기념비 프로파간다"로 명명된 이
      프로젝트는 차르 시대의 기념비들을 대체하기 위해 몹시 시급하게
      진행되어야만 했으며 재료 또한 부족했기에 석고나 시멘트로
      만들어졌다. 동상의 목록은 러시아인뿐 아니라 마르크스와
      엥겔스를 비롯한 다수의 독일인(로쟈 룩셈부르크, 하인리히
      하이네 등), 푸리에나 생시몽을 비롯한 프랑스 사상가와 혁명 영웅
      들, 영국 유토피아 사회주의자 로버트 오웬, 이탈리아 민족주의자
      가리발디 등 전 유럽을 포괄했다. 심지어 폴 세잔의 이름도
      거론되었으나 '윗선'의 관료들에 의해 삭제된 것으로 알려져 있다.

는 세르게이 에이젠슈테인에게서 나오게 될 것이었다. 리가의 저명한 건축가의 아들이었던 그는 자신의 영화와 이론적 에세이들에서 건축 공간을 재정의하려고 시도했는데, 이는 아버지의 모더니즘적 절충주의를 훌쩍 뛰어넘는 것이었다. 1930년대 초반, 사회주의 리얼리즘이 공식 천명되었던 그 시절, 에이젠슈테인은 많은 동료 아방가르드 예술가들과 마찬가지로 영화를 제작하고 배포하는 데 어려움을 겪게 되었고, 그래서 자신의 글쓰기와 몽타주 이론으로 되돌아갔다. 에세이 「파토스」에서 그는 "현수懸垂 건축architecture of suspension"[48]이라는 흥미로운 개념을 제시했다. 타틀린과 말레비치가 이 탑에서 건축과 조각의 종합을 보았다면, 에이젠슈테인은 1831년에 고골이 쓴 건축에 관한 잊혀진 에세이[49]로 되돌아가면서 거기에 문학과 영화라는 또 다른 차원을 보탰다.

"지금까지 현수 건축은 단지 극장의 박스석, 발코니 그리고 작은 다리 들을 통해서만 스스로를 드러냈을 뿐이다〔라고 고골은 적었다〕. 하지만 만일 〔…〕 이 투명한 주철로 된

48 〔옮긴이〕현수 건축이란 인장력을 잘 흡수하는 와이어로프 같은
    케이블로 지붕 및 바닥 등의 슬래브slab를 달아매는 구조 형식으로,
    교량 중에는 현수교가 대표적이다.
49 〔옮긴이〕산문모음집『아라베스크』(1835)에 포함된 고골의 글
    「오늘날의 건축에 관하여」를 말한다.

71

장식이 경이롭고 아름다운 타워를 감싸고 그와 함께 하늘로 솟아오른다면 어떨까…?" 언젠가 안드레이 벨리Andrey Bely는 피카소를 예견하는, 고골의 「넵스키 거리」의 인용문으로 독자들을 놀라게 한 적이 있다. 그러나 벨리는 무슨 이유에선지 고골이 기둥 위에 세워진 집이라는 르 코르뷔지에의 아이디어를 예견했다는 사실을 간과했다. 만일 투명성의 건축에 관한 그의 아이디어가 주철에 씌운 투명한 천으로 해결되지 못한다면, 그것은 미국의 프랭크 로이드 라이트가 제안했던 대로 유리를 통해서, 그리고 "경탄스러운 탑"(즉 타틀린의 탑)의 아이디어를 통해 해결된다. […] "〔고골이 결론짓기를〕 건축가의 머릿속에 완전히 새로운 아이디어들을 심어줄 얼마나 풍부한 제안들이 나왔겠는가, 만일 이 건축가가 창작자이고 시인이었다면."[50]

에이젠슈테인은 보르헤스 풍으로 고골의 문학적 사색이 타틀린의 탑을 예시하는 동시에 그것에 의해 조명된다는 역설적인 주장을 내놓고 있다. 에이젠슈테인은 시간의 비가역성에 기초한 자신만의 고유한 스타일의 계보학을 만들어내면

50   Sergei Eisenstein, "Pathos" (1946), in *Izbrannye proizvedeniia*, vol. 3, Moscow, 1964, p. 198. 영어본은 "Pathos" in *Nonindifferent Nature*, Herbert Marshall(trans.), Cambridge, MA : Cambridge University Press, 1987, p. 165를 보라.

서, 상상의 건축과 실제 건축의 이론적 몽타주를 실행한다. 낯설게하기는 뒤집힌 미메시스뿐 아니라 해방의 측면 또한 제공하는바, 후자는 좌절한 영화감독으로 하여금 선지적 이론가가 되어 상이한 매체들의 추론적 역사들을 탐구할 수 있게 허용한다.[51]

에이젠슈테인이 "현수 건축"에 관해 기술했을 무렵 발터 벤야민은 알레고리적인 건축에 관한 그의 고유한 개념을 발전시켰다. 벤야민이 보기에 알레고리 건축은 철과 같은 새로운 기술적 재료를 예술적 용도로 사용할 수 있는 능력을 지녔다. 파리 부르주아 아파트 알라 그랑빌à la Grandville 발코니의 주철로 만든 토성은 근대적 멜랑콜리의 알레고리 형상 그 자체다. 벤야민의 관점에서 철과 유리를 새롭게 건축에 이용하게 된 것은 단지 기술적 "진보"를 의미하는 것이 아니라 예술과 기술, 인공품과 자연 사이의 특별한 변증법적 긴장을 표시하는 것이다. 기술은 예술의 품격에 호소함으로써 스스로의 기품을 더했고, 예술은 새로운 기술을 자신의 용도에 맞게 받아들임으로써 그 뒤를 따랐다. 『아케이드 프로젝트』에서 벤야민은 19세기의 파사주 건물을 예술과 실용, 유토피아와 상

---

51   〔옮긴이〕 이 글을 썼던 1930년대 초반 해외 출장을 마치고 소비에트로 돌아온 에이젠슈테인은 1920년대와 현격히 달라진 정치적 환경으로 인해 더 이상 영화를 제작하지 못한 채 연구와 저술에만 몰두했다. "좌절한 영화감독"이라는 구절은 이런 상황을 가리키는 것이다.

업주의의 중간항으로 바라보면서 "정지의 변증법" 개념을 제시했다. "철과 함께 건축의 역사에서 처음으로 인공적 소재가 등장한다. [⋯] 사람들은 철을 주거용 건물에 사용하는 것을 꺼렸다. 그 대신 파사주, 전시회장, 역사 등 임시로 머무는 건축물에 사용했다."[52]

만일 (벤야민이 묘사하는 바대로의) 아케이드 건축과 타틀린의 탑을 비교해본다면, 그리고 상업적 공리주의를 국가 공리주의로 대체해본다면, 우리는 특정한 역사적 국면의 역설을 결정화하고 있는 동일한 모순어법적인 변증법을 발견할 수 있다. 1926~27년의 운명적인 모스크바 여행 기간 동안 벤야민이 새로운 건축에 관해 거의 언급하지 않은 것은 흥미롭다. 새로운 기획들에 관해 언급하는 대신, 그는 관광과는 거리가 먼 구식 장소들, 예컨대 야외 시장, 장난감 박물관, 옛 모스크바의 망가진 탑 따위를 방문하는데, 물론 이 장소들의 선택은 섬뜩할 만큼 예언적인 것이 되었다. 벤야민이 묘사하고 있는 곳들은 그가 떠나고 불과 몇 년이 지난 후에 이른바 반혁명적인 "후진성"을 이유로 철거될 바로 그 장소들이

52   Walter Benjamin, "Paris, the Capital of the Nineteenth Century," in *The Arcades Project*, Howard Eiland and Kevin McLaughlin(trans.), Cambridge, MA : Belknap Press, 1999, p. 4. 〔한국어본은 「19세기의 수도 파리『파사주』독일어판 개요(1935)」, 『역사의 개념에 대하여|폭력비판을 위하여|초현실주의 외』, 최성만 옮김, 도서출판 길, 2008, p. 186.〕

었다. 이는 모스크바를 이상적인 공산주의 도시로 탈바꿈시키려는 스탈린의 계획, "오스만의 파리 개조사업"의 급진적인 20세기 버전이 실행되던 시기에 일어난 일이었다. 벤야민의 유물론적 방법은 그로 하여금 임박한 역사적 변화를 직감하고, 결국 정확하게 미래를 예측한 것으로 판명될 예리한 예견적 노스텔지어를 경험하도록 이끌었던 것이다. 이 경우에 그의 심오한 통찰은 벤야민이 자신의 연구에서 추구했던 특정한 방법론의 결과인데, 그 방법은 신비롭기보다는 오히려 물질적이고 상상적인 것이었다. 그것은 이론과 경험, 관찰의 예술과 사유의 예술 사이의 위태로운 이중 행보에서 예측되었다. 모스크바에서 그가 관찰하기를, 〔그곳에서는〕 모든 지각을, 서구 "부르주아" 담론의 지각뿐 아니라 당의 꿈꾸는 듯한 마르크스주의적 지각마저도 의문에 부쳐야 한다. 마틴 부버에게 보낸 편지에서 벤야민은 모스크바에서는 "모든 사실factuality이 이미 이론"이라는 수수께끼 같은 주장을 피력하면서, 소비에트의 경험에 관한 그 어떤 "이론"도 내놓기를 거부했다. 그렇다면 비평가에게 주어진 역할이란 이 삶의 조각들, 미래의 땅에서 순식간에 지나가는 현재의 "사실들"을 수집하는 일뿐이다.[53] 여기서 "사실"은 사실성facticity이라는 실

---

53   Walter Benjamin, *Moscow Diary*, Gary Smith(ed.), Richard
      Sieburth(trans.), Cambridge, MA: Harvard University Press, 1986,
      p. 132. 〔한국어본은『모스크바 일기』, 김남시 옮김, 도서출판 길,

증적 개념을 가리키는 것이 아니라 독일의 "신즉물주의new objectivity"와 유사한 구축주의의 팍투라factura 개념을 가리키는 것이다. 시클롭스키와 벤야민의 저술들에 나타난 그와 같은 "사실들"은 일상적 존재의 물질성을 포착하면서 언제나 알레고리의 주변부를 맴돈다. 때로는 그들이 물질적 경험을 더 직접적으로 묘사하면 할수록 그것들은 더욱더 "아우라적"이고 금언적인 것이 된다. 이렇듯 벤야민 또한 특수한 제3의 사유 방식, 이를테면 도시적 경험의 묘사와 〔경험과 묘사〕 둘 다를 낯설게 만드는 비판적 이론 사이의 제3의 방식을 연습했다. 모스크바에서 아방가르드 건축들을 그다지 찾지 않았던 벤야민은 혁명 이후의 도시를 바라보는 오프모던적 방식을 개발했던바, 그곳에서 "모던은 〔…〕 언제나 원사primal history를 인용하고 있다."[54]

구술로 전해지는 역사 속에서 타틀린 기념탑의 특이한

2015, p. 8.〕

54 Walter Benjamin, "Paris, the Capital of the Nineteenth Century,"
    p. 10. 〔옮긴이〕 영어판 "But precisely modernity is always citing
    primal history"에서 modernity를 modern으로 바꿔 인용하고 있다.
    한국어본은 발터 벤야민, 「19세기 수도 파리『파사주』독일어판
    개요(1935)」, p. 204. "그러나 바로 그 현대가 언제나 원사를
    인용한다." 〔옮긴이〕 "사실들의 수집가"로서 벤야민이 사용했던
    독특한 '인상학적' 방법론과 '과거'를 향한 특별한 지향, 그리고
    『모스크바 일기』전반에 녹아 있는 소비에트 아방가르드의 미묘한
    흔적에 관해서는 김수환, 『혁명의 넝마주이』참조.

생존은 예술가 타틀린의 망각과 나란히 진행되었다. 1920년
대에 타틀린을 직접 만난 적이 있던 베를린의 다다 예술가 게
오르크 그로스는 타틀린이 죽기 얼마 전 다시 한 번 그를 방
문했다. "나는 다시 한 번 그를 보러 갔지요. 그는 작고 오래
된 황폐한 아파트에서 살고 있었습니다… 거기엔 뒷벽에 기
대놓은 완전히 녹슨 철제 매트리스가 있었는데, 날갯죽지에
머리를 밀어넣은 몇 마리의 닭이 그 위에서 졸고 있었지요.
존경하는 타틀린이 집에서 만든 수제 발랄라이카를 연주하
기 시작하자 그것들은 완벽한 프레임이 되어주었죠… 우리
는 갑자기 고골의 작품 속 멜랑콜리한 유머에 둘러싸인 것만
같았어요. 타틀린은 더 이상 초超근대적인ultramodern 구축주
의자가 아니었어요. 그는 고대 러시아의 진정한 한 조각을 이
루고 있었습니다."[55] 호의를 품고 스탈린의 러시아를 방문했
던 많은 서구 예술가들과 마찬가지로, 그로스는 타틀린의 아
파트의 노쇠한 상태와 가난, 그리고 그의 고립된 라이프스타

[55] George Grosz, *An Autobiography, Ein kleines Ja und ein grosses
Nein*, Nora Hodges(trans.), New York: Macmillan, 1983, pp.
179~80. 〔옮긴이〕 여기서 그로스가 발랄라이카라고 말한 것은
우크라이나의 민속악기 반두라일 가능성이 크다. 어려서부터
음악적 재능을 보였던 타틀린은 뛰어난 반두라 연주자였다.
1913년 타틀린은 피카소를 만나기 위해 직접 파리로 건너가는데,
이는 같은 해 베를린에서 열린 러시아 수공예품 전시회에서 받은
보수 덕분이었다. 전시회에서 타틀린은 맹인 악사라는 일종의
'살아 있는 전시품' 역할을 성공적으로 수행했다.

일이 이국적 러시아의 특이성에서 기인한 것이 아니라 소비에트 연방에서 실험적 예술이 처해 있던 특수한 환경으로부터 기인한 것이라는 사실을 알아차리는 데 실패했다. 다행히 타틀린은 자연적인 죽음을 맞을 수 있었는데, 우연하게도 스탈린과 지가 베르토프가 사망한 것과 같은 해였다.

설치 건축과 현대의 폐허애호주의

1988년 러시아 출신 미국 건축가이자 디자이너인 콘스탄틴 보임Constantin Boym[56]은 "잃어버린 기념비들의 기념품" 시리즈를 만들었다. 그 시리즈에는 소비에트 궁전, 솔로몬 왕 신전 기념품과 함께 청동으로 된 타틀린 탑 기념품도 포함돼 있었다. 타틀린의 혁명적 바벨탑은 예술적 신화로서의 두번째 삶을 찾아냈다. 그것은 20세기 예술의 비순응적nonconformist 전통의 환각지가 되어 종이 건축, 개념주의 설치, 도시 민담 등에서 출몰하게 되었다.

개념주의자로 알려진 여러 예술가들, 가령 일리야 카바코프Ilya Kabakov, 비탈리 코마르Vitaly Komar와 알렉산더 멜라미드Alexander Melamid, 알렉산더 코솔레포프Alexander Kosolepov, 이고르 마카레비치Igor Makarevich와 옐레나 옐라기나Elena Elagina, 레오니드 소코프Leonid Sokov 등을 포함하는 느슨하게 조직된 운동으로서의 모스크바 개념주의는, 소비에트적 삶의 일상의 쓰레기들과 공식 이데올로기 예술의 상징들을 재활용했는데, 타틀린 탑과 아방가르드의 대표적

---

56   〔옮긴이〕스베틀라나 보임의 전남편으로 모스크바의 잘 알려진 "종이 건축가" 중 한 명이었다.

콘스탄틴 보임, 〈소비에트 궁전〉과 〈타틀린 기념탑〉, 1996.
"잃어버린 기념비: 세기의 끝을 위한 기념품" 시리즈 중에서.

비탈리 코마르와 알렉산더 멜라미드, 〈사원, 러시아로부터의 엑소더스〉,
시온 산에서 퍼포먼스, 예루살렘, 1978.

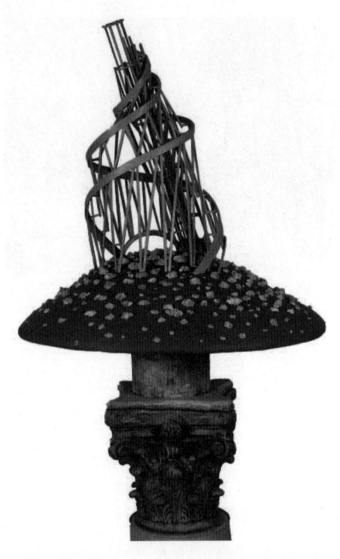

이고르 마카레비치와 옐레나 옐라기나, 〈(타틀린 탑과) 독버섯〉, 2003.

인 아이콘들도 그중 하나였다. 그들은 소비에트 시기의 정치적 대상들을 예술적 기호signs로 번역하는 횡단문화적인 초교환hyperexchange을 실행했다. 서구의 예술가들이 종종 소비에트 유토피아의 예지적 잠재력과 대담한 이국성에 매료되었다면, 소비에트 예술가들은 이제 그 유토피아가 예술과 삶의 일상 업무 속에서 변형되는 과정에 직면하게 되었다. 폐허가 된 유토피아의 위상에 더 깊게 연결되었던 소비에트 예술가들은 그것들을 숭배할 필요가 없었다. 그들은 뮤지엄의 경건함 없이 아방가르드의 대상들에 접근했다. 사실 그들의 기억 속에서 국제적 아방가르드는 결코 뮤지엄 문화나 예술 시장의 일부였던 적이 없다. 그것은 공식적인 뮤지엄식의 신성함을 갖고 있지 않다. 대신에 그것은 비공식적 유토피아의 꿈을 저장하기 위한 저수지에 속했다.

타틀린의 탑은 이런 대안적인 문화적 상상의 보이지 않는 도시들에서 중대한 역할을 담당했다. 그것은 1970~90년대의 종이 건축과 설치 예술에서 중심적인 기념비가 되었다. 1970년대의 종이 건축은 1920년대의 유토피아적 꿈을 기억하고 재활용하기 위한 방안으로서 출현했다. 그것은 동화를 현실로 만들고자 시도하지 않았다. 오히려 그 반대였다. 이 종이 건축가들—1920년대의 유명한 브후테마스VKhUTEMAS[57]를 잇는 모스크바 건축연구소에서 수학했던 일군의 젊은 건축학도들—은 돌과 콘크리트가 아니라 종이로

83

작업하는 것을 자랑스러워했다. 동시에 그들은 여러 국제건축 경연에 몰두했고 여러 차례 수상하기도 했다. 이 젊고 뛰어난 건축가들은 건축물이 아니라 프로젝트의 구상을 삶의 방식으로 간주했다. 그들은 자신들의 신화적 세계 속에서 가볍게, 마치 자기들이 만든 디자인을 타고 철의 장막 너머로 여행하는 치외법권자처럼, 그렇게 살아갔다. 정작 그들 본인은 그렇게 할 수 없었던 시기에. 비물질성은 거의 진실성의 기호와도 같았다. 이 건축가들은 자신들의 상상의 급진성을 굽히길 원치 않았고, 소비에트 건축 산업 안에서 직업(만일 그런 것을 가질 수 있다면)을 갖기보다 그들의 프로젝트의

57　〔옮긴이〕 흔히 소비에트판 바우하우스로 불리는 브후테마스는 1920년에 모스크바에 설립된 예술 교육기관으로서 고등예술 및 기술공방Vysshiye Khudozhestvenno-Tekhnicheskiye Masterskiye의 앞글자를 딴 이름이다. 이전에 존재하던 회화조각건축학교와 예술산업학교, 스트로가노프 응용예술학교가 합쳐져 설립되었는데, 100여 명의 교수진을 갖추고 2500명 이상의 학생이 등록하여 소비에트 아방가르드의 핵심적인 제도적 기관이 되었다. 말레비치, 리시츠키, 타틀린, 로드첸코, 포포바, 스테파노바 등 절대주의와 구축주의의 거의 모든 주요 인물들이 교편을 잡았다. 1926년에 고등예술기술학교 브후테인Vkhutein으로 명칭이 바뀌었다가 1930년에 문을 닫았다. 브후테마스의 교육 커리큘럼에 대한 방대하고 상세한 소개와 분석을 담은 최초의 연구서 『방법으로서의 아방가르드Avant-Garde as Method: Vkhutemas and the Pedagogy of Space, 1920~1930』(Anna Bokov, Park Books, 2021)의 출간을 계기로 대규모 전시회가 개최되는 등 최근 들어 커다란 주목을 받고 있다.

삶을 더 중요한 것으로 받아들였다. 서구의 러시아 아방가르드 추종자들이 이 운동의 본래적인 사회적 메시지를 받아들이면서 최대한 유토피아적이 되려고 시도했다면, 러시아 건축가들은 공식적인 집단적 명령을 공공연하게 거역하는 가운데 그것의 예술적 잠재력을 받아들였다. 이렇듯 철의 장막 양편의 예술가들은 비록 형식을 공유했을지언정 문화적 의미나 정념적 기억까지 공유한 것은 아니었다.

타틀린의 탑이 이들 러시아 예술가와 건축가 들의 많은 작품에 나타난 것은 사실이지만, 그것들 각각은 상이한 후생 after-life 혹은 반생half-life을 만들어냈다. 개념주의 예술가 가운데 한 명인 레오니드 소코프의 작업실에는 상이한 크기의 타틀린 탑 모형과 절단된 부분 들이 마치 어린아이들의 버려진 장난감이나 여행 기념품 혹은 아마추어 건축 프로젝트 들처럼 어질러져 있어 웃음짓게 만든다. 탑은 다시 젊어졌고 갖고 놀 수 있게 되었으며, 자신의 조각적·정치적·유희적 잠재력을 재발견했다. 소코프의 타틀린 탑은 문화적 기억과 실험적 예술의 모든 중추신경을 자극하고 유희하도록 하는, 명백히 촉각적인 개념주의다.

소코프의 작품 중 하나인 〈엄마와 아이Mother and Child〉에서 타틀린의 탑은 황량한 러시아 풍경에 둘러쌓인 채 마그리트 풍으로 컷아웃되어, 성모 마리아 형상의 성스러운 유령으로 나타난다. 여기서 기념탑은 자연 경관으로 자리 잡아,

레오니드 소코프, 〈엄마와 아이〉, 1986.

비순응적 예술의 비관례적인 이콘으로 프레임된다. 소코프의 작품 속에서 아방가르드의 유명한 폐허[타틀린 탑]는 부서지기 쉬운 인간동형적 육체성을 획득한다. 그것은 더 이상 혁명의 희박한 공기가 아니라 당신의 피부 아래에 부서진 파편 조각을 남기는, 현대적인 동시에 원시적인 거친 나무로 만들어졌다.[58]

문화이론가 빅토르 투피친Victor Tupitsyn[59]과 일리야 카바코프는 소코프의 작품에 관한 대화에서 중요한 문제를 제기했다. "그는 포스트모더니스트인가 아니면 민속학자인가?"[60] 소코프의 장난기 어린 조각들은 유토피아 이데올로기

58 [옮긴이] 혁명(의 공기)을 기념탑의 이례적인 질료 중 하나로 제시했던 시클롭스키의 앞선 지적("이 기념비는 철과 유리 그리고 혁명으로 만들어졌다"[47쪽])을 염두에 둔 구절이다.

59 [옮긴이] 뉴욕과 파리에서 활동하는 망명 러시아 예술비평가로 보리스 그로이스와 마찬가지로 1970~80년대 소비에트 비순응 예술(개념주의, 소츠아트)을 주로 다룬다. 특히 소비에트 공동주택(코무날카)으로 대변되는 공동적 인식과 언술의 관행을 "공동적 광학communal optic"이라는 독특한 렌즈를 통해 고찰한 책 『공동적 (포스트)모더니즘Коммунальный (пост)модернизм』(모스크바, 1998)으로 유명하다. 2009년 수전 벅-모스와 나눈 대담을 서문으로 붙인 영역본 The Museological Unconscious: Communal (Post)Modernism in Russia, MIT Press가 출간되었다. 모스크바(페테르부르크)와 뉴욕이라는 두 문화에 공히 친숙한 내부자이자 외부자로서 이중적 관점을 통해 러시아 문화와 예술을 다룬다는 점에서, 보임과 매우 유사한 스탠스를 보여준다.

60 "A Conversation between Victor Tupitsyn and Ilya Kabakov on

의 육체성, 그것의 카니발적인 신체를 드러낸다. 하지만 이것은 스타일화된 바흐친-라블레적 카니발이 아니라 불순하고 혼종적인 소비에트 일상의 예술이다. 문학적 진화 및 친자관계에 관한 티냐노프와 시클롭스키의 개념에 의거해 말해보자면, 그것은 비非예술적 문화의 이차적·주변적인 층위들을 전경화하고, 항상 앞이나 뒤만 바라보는 게 아니라 종종 옆길을 바라보기도 하는, 체스 말의 움직임(수)을 따르는 예술적 혁신의 새로운 가능성들을 제공한다.[61] 소코프의 경우 이런

Leonid Sokov," in *Leonid Sokov: Sculptures, Paintings, Objects, Installations, Documents, Articles*, St. Petersburg : State Russian Museum, The Palace Edition, 2000, pp. 15~16.

61 〔옮긴이〕 형식주의자 티냐노프는 문학사의 진화 메커니즘을 다루는 글 「문학의 진화에 관하여」에서 "중심-주변의 교체" 모델을 제시했다. 그에 따르면, 특정 시기의 지배적 규범(중심)의 관점에서 볼 때 문학 외적인 영역(주변)에 속한 것으로 간주되는 반미학적 현상들은 진화의 다음 단계에서 중심으로 파고들면서 문학적 사실로 변모될 수 있다. 이때 주변의 새롭고 신선한 현상들은 대개 인접한 일상적 삶, 말하자면 "옆길"에서 찾아진다. 그런가 하면, 시클롭스키는 「플롯 저편의 문학」에서 모든 위대한 작가는 직전의 위대한 작가를 잇고 있다는 암묵적인 공리를 거절하고 가계도의 새 모델을 제시했다. 그에 따르면, 예술가들은 종종 위대한 조부뿐 아니라 사촌이나 숙모의 자질을 빌리거나 재사용한다. "아버지에게 물려받은 아들이 아니라 삼촌에게 물려받은 조카"라는 개념이 그것으로, 시클롭스키는 이런 '비스듬한' 계승 관계를 통해 문학적 혁신의 대안적 모델을 상상했다. 한편, 보임이 「오프모던의 거울The Off-Modern Mirror」(*e-flux*, 2010)에서 참조한 굴절적응exaptation은 프랑코 모레티가 형식주의의 유산(시클롭스키)을 언급하면서 문학사의

이차적인 문화의 영역은 군사 문화, 소비에트 그래피티 예술(담벼락 문화zabornaia kul'tura), 공식 선전 그리고 일상의 반反디자인을 포함한다.

소코프의 거칠고 비완결적인 조각들은 신화적 성격이 덜한 또 다른 차원에서 영감을 얻는다. 미술대학교 재학 시절 소코프는 소비에트 군대에 복무했다. 군대 도서관을 살펴보던 중에 그는 우연히 백해 운하 건설 현장을 견학했던 작가와 예술가 들에 관한 1930년대의 문건을 발견했다.[62] 소비에트의 공식 선전 문건이었음에도 불구하고 엄청나게 매력적이었다. 소코프는 굴라크의 강제노역에 사용된 기구들을 찍은 사진을 보고 충격을 받았는데, 그것은 소비에트 산업을 있게 한 잔혹하고 전근대적인 방식을 드러내고 있었다. 남

"도살장"을 논할 때 사용한 개념이기도 하다.

62 〔옮긴이〕스탈린의 제1차 5개년 개발계획의 3대 핵심 사업 중 하나였던 백해와 발트해를 연결하는 227킬로미터의 운하 건설을 말한다. 강제노동수용소 죄수들의 노동력을 동원한 이른바 "굴라크 프로젝트"의 첫번째 사업으로 20개월이라는 짧은 공기 동안 무려 20만 이상의 인명을 희생시킨 결과물이었지만, 대내외적으로 소비에트 산업화의 위대한 성취이자 교화노동의 상징으로 선전되었다. 1933년에 운하가 완공되자 막심 고리키가 조직한 약 120명에 이르는 초대형 "작가 부대"가 현장을 방문견학하게 되는데, 그중에는 알렉세이 톨스토이, 미하일 조셴코Mikhail Zoshchenko, 보리스 필냐크Boris Pilnyak, 발렌틴 카타예프Valentin Katayev, 그리고 빅토로 시클롭스키도 포함되어 있었다.

는 시간에 그는 이 원시적인 근대의 기계들과 노동수용소의 무시무시한 건축들을 그린 그림들로 자신의 스케치북을 채워 나갔다. 후기 작업에서 그는 각종 기념탑들—바벨탑, 타틀린의 탑, 네오아방가르드의 우르-네오-게오-탑Ur-Neo-Geo-Tower[63]—의 섬뜩한 변형과 굴라크의 극사실주의적인 감시탑을 무대화했다. 또한 소코프는 현대 예술가의 실물 크기의 초상 조각을 수용소 경비병으로 만들어 나무로 만든 감시탑 옆에 세워 놓았다. 이것은 폭로적인 문화적 자기-연출에 해당한다. 예술가는 해방적인 나선형 탑 앞에 자리하는 매력적인 비순응주의자로서가 아니라, 아방가르드의 꿈을 향한 기념비와 닮아 있는 감시탑의 모델을 지키는 시스템 속의 톱니로서 스스로를 제시한다. 타틀린의 탑과 강제수용소 감시탑 사이의 관계를 문자 그대로 받아들여서는 안 된다. 타틀린의 탑이 곧장 굴라크의 감시탑을 "초래한" 것이 아니다. 즉, 그것들은 동일한 "스탈린의 종합작업total work of Stalinism"의 일부가 아니다. 그것들은 아방가르드의 유토피아주의와 스탈린식 국가의 공식적 목적론 사이의 직접적인 연속성을 가리키지 않는다. 그로이스가 말한 『스탈린의 종합예술Total Art of Stalinism』[64]과 반대로(정작 소비에트와 러시아에서는 사회주

---

63   〔옮긴이〕레오니드 소코프의 작품명이다.

64   〔옮긴이〕1988년에 독일어로 출간된 *Gesamtkunstwerk Stalin*의
      영어 번역본(Princeton University Press, 1992)이다. 이 데뷔작에서

레오니드 소코프, 〈감시탑, 군인으로서의 자화상〉, 1996.

레오니드 소코프, 〈굴라크 감시탑의 폐허〉, 2005.
사진: 이리나 플리지.

의 리얼리즘이 망각되어가고 있는 반면 서구에서는 아방가르드가 영웅시되고 있던 1980년대에, 그 둘 모두에 대한 반대 항으로서 그로이스의 주장이 등장하여 극도로 도발적인 시의성을 품고 있긴 했지만), 21세기의 원근법적 "폐허–응시"는 예술적 구역과 국가적 구역을 더 정확히 그려낼 수 있는 보다 섬세한 접근이 필요하다. 아방가르드는 다채로운 현상이었고, 예술적 혁명과 사회적 혁명 간의 유비에 관한 성급한 일반화는 그것의 역사적 특수성을 온전히 그려내지 못한다. 타틀린의 완성되지 못한 탑은 투박하게 지어졌지만 효과적으로 기능하는 굴라크의 감시탑으로 "진화"하지 않았다. 오히려 그것들은 소비에트 모더니티의 동일한 문화적 풍경에 속해 있었다. 하나의 폐허는 다른 보이지 않는 폐허를 가

그로이스는 러시아 아방가르드에서 사회주의 리얼리즘으로 이어지는 전환에 관한 기존의 표준적인 가설을 거부하고, 그것을 외적 강요와 탄압에 의한 단절과 타락의 과정이 아닌 내적이고 논리적인 진화 과정으로 묘사했다. 그에 따르면, 사회주의 리얼리즘은 아방가르드의 거부가 아니라 외려 그것을 급진화한 결과에 해당하는데, 왜냐하면 단순한 삶의 반영에서 벗어나 총체적인 미적·정치적 기획하에 삶을 완전히 재형성하는 데까지 나아가고자 했던 아방가르드의 지향과 강령은 결국 그것을 극단적으로 밀고 나갔던 사회주의 리얼리즘에 의해 '실현'되었기 때문이다. 사회주의 리얼리즘이 아방가르드의 상속자이자 완결자라는, 어떤 점에서 스탈린은 말레비치의 계승자였다는 그로이스의 도발적인 견해는 이후 커다란 화제와 논란을 불러일으켰다.

리키고 있다.

그들 주변에 굴라크 생존자들이 있었고 그 경험이 여전히 생생한 기억으로 남아 있었음에도 불구하고, 심지어 비순응주의 예술가들조차 굴라크에 관해 직접적으로 이야기하는 법은 없었다. 그 이유는 복잡하다. 직접적인 정치적 발언은 종류를 막론하고 "미학적으로 부적절한 것," 즉 지나치게 이데올로기적인 것이라고 여겨졌다. 설사 그것이 공식 이데올로기에 반하는 의도를 갖고 있다고 하더라도 마찬가지다. 비순응주의 예술가들은 해빙기 이후 자신들만의 대안적 서브컬처를 발전시켰고, 1960년대의 예술과 글쓰기를 특징짓는 "진정 어린" 직접적 서정성에 부정적으로 반응했다. 그들 역시 소비에트의 문화적 터부들을 내면화했기에 문화적 트라우마를 공공연하게 드러내는 대신 그것을 암시만 하면서 침묵 속에서 작업한 것일 수도 있다. 굴라크는 비록 그곳에서 발생한 살인과 죽음, 무분별한 잔인성의 정도에 있어 나치 수용소와 쌍벽을 이루지만, 그럼에도 절멸 수용소는 아니었다. 그것은 노예노동수용소, 살아 있는 수용소, 국가의 다른 나머지 지역과 보이지 않는 여러 방식으로 겹쳐지는, 소비에트 영토의 일부분이었다. 예술 작품을 통해서 이와 같이 출몰하는 존재들을 재발견하는 일은 기억의 필름의 비가시적 층위들을 현상하는 일과 비슷하다. 개념주의 설치와 조각 들은 소비에트적 삶의 공포의 영토들을 재생산했다. 그것들을 낯설게 만드는 데 항상 성공한 것은 아니었지만, 어쨌든 시도했다.

소코프는 자신의 작품을 통해 공식적인 망각술ars oblivionalis[65]과 예술의 공모 문제를 제기하면서 폐허로 남아 있는 "구역zone"과 관련된 작업을 하는 몇 안 되는 예술가 중 한 명이다. 외견상 중립적이고 외래적인 단어인 "구역"은 소비에트 러시아에서 특별한 의미를 지녔다. 그것은 감옥과 굴라크를 가리키는 관료주의적 완곡어였다. 문화적으로 이 단어가 갖는 지대한 영향력으로 인해 "구역" 너머의 바깥 세계가 "자유 세계"가 아니라 "자유 구역"으로 불릴 정도였다.[66] 소코프는 아방가르드의 기념비들을 새로운 문화적 맥락, 단

65   〔옮긴이〕 움베르토 에코가 「망각의 예술이라고? 잊어버려!An Ars Oblivionalis? Forget it!」(*PMLA*, vol. 103, Issue 3〔May 1988〕, Cambridge University Press, pp. 254~61)에서 기억술art of memory에 빗대어 만들어낸 신조어로, 망각의 예술art of forgetting에 해당하는 말이다. 여기서는 역사적 사건의 어둡고 끔찍한 부분들을 선택적으로 망각하는 국가의 공인된 기억을 가리킨다.

66   〔옮긴이〕 소비에트에서 '구역'이라는 단어가 가졌던 특별한 문화정치적 함의는 스트루가츠키 형제의 『노변의 피크닉』과 타르콥스키의 영화 〈잠입자Stalker〉에서 상징적으로 잘 표현된 바 있다. 알렉세이 유르착은 『모든 것은 영원했다, 사라지기 전까지는』(김수환 옮김, 문학과지성사, 2019)에서 "후기 사회주의 현실의 내부와 외부에 동시에 존재하는 모종의 상상의 공간"으로서의 상상의 서구를 가리키는 용어로 이 단어를 들여오면서, 그것을 일종의 "내적인 외부성의 지대"로 개념화했는데, 이는 보임이 말하는 모종의 경계-구역, 즉 소비에트 시스템의 일부로서의 굴라크와 일맥상통한다.

지 포스트모던만이 아니라 〔모종의〕 경계-구역에 위치시켰는데, 그것은 비공식적이고 규정 외적인 펜스와 자물쇠의 건축, 특징 없는 관리소 건물, 억압된 역사의 녹을 간직한 무인지대no man's land 같은 공간들이다. 그의 재료들은 그가 상상력의 "자유 구역"으로 옮겨놓으려고 애쓰는 저 구역의 것들이다. 소코프의 작품에서 포스트모더니티는 전사prehistory를 인용한다. 혹은 아마도 카바코프가 제안하듯이, 그의 작품 속에서 포스트모더니티는 살아 있는 기억이 된다. 자신의 대뇌적인 인용부호를 잃고 육체적인 코미디 혹은 한없는 멜랑콜리를 위한 자리로 변한다. 타틀린의 탑, 가상적인 폐허가 물질성을 획득하는 것이다. 그것을 문화적 기억의 극장을 위해 한층 더 중요하고 믿을 만한 것으로 만들어주는 것은 그 불능성과 가상성이다. 1970년대의 예술가들에게 레타틀린의 뼈와 기념탑의 건축적 주검은 더 이상 단순한 상징이나 모델에 머물 수 없었다. 그것들은 파편적 육체를 획득했고 20세기의 유희적 고고학의 일부가 되었다. 카바코프를 인용해 말하자면, "소코프의 순진한 세계는 그렇게 순진하지 않다."[67]

또 다른 사람들은 탑을 재료가 아니라 일종의 거주지로 사용했다. 건축가 유리 아바쿠모프Yuri Avvakumov[68]는 〈페레

---

67   "A Conversation between Victor Tupitsyn and Ilya Kabakov on Leonid Sokov," p. 16.

68   〔옮긴이〕 "종이 건축"의 대표자 중 한 명으로 이 용어 자체를

스트로이카 탑Perestroika Tower〉(1990)을 만들었는데, 사회주의 리얼리즘의 걸작 중 하나인 보리스 이오판과 베라 무히나 Vera Mukhina의 조각상 〈노동자와 집단〔농장〕농민Worker and Collective Farmer〉(1936~37)도 그중 하나다. 타틀린의 탑을 거대한 비계로 묘사했던 트로츠키를 뒤따르기라도 하듯이, 아바쿠모프는 아이들 장난감을 닮은 건축 크레인으로 기념비를 만들었다.[69] 하지만 소코프의 버려진 장난감들과 달리, 이것들은 환경을, 즉 예술과 인간 모두를 위한 은신처를 창조한다. 탑과 아바쿠모프의 관계는 아이러니한 만큼이나 부드럽고 다정하다. 타틀린의 모델은 예상 밖의 세입자들—즉 이상적인 노동자와 농민뿐만이 아니라 미래의 모든 몽상가들—을 위한 은신처로 바뀐다.

예술적 설치작업은 아방가르드의 실제적이고 가상적인 폐허를 위한 피난처를 제공하는 비기능적 건축의 또 다른 형식이다. "총체적 설치total installation"의 선구자 중 한 명인 카바코프는 최근작인 〈프로젝트들의 궁전The Palace of Projects〉(1995~2001)에서 폐허, 기념품, 모델, 일상적 쓰레기

그가 1980년대에 만들었다. 주로 러시아 아방가르드와 사회주의 리얼리즘의 캐논적인 건축물들을 변형시켜 재맥락화한 작품들을 제작했는데, 타틀린의 기념비는 주요 형상 중 하나다.

69   이에 관한 더 상세한 논의는 다음을 보라. Constantin Boym, *New Russian Design*, New York : Rizzoli International Publications, 1992.

유리 아바쿠모프, 〈페레스트로이카 탑〉, 1990.
이 작품은 보리스 이오판과 베라 무히나의 조각상 〈노동자와 집단[농장] 농민〉
(1936~37)을 통합시켰다.

를 망라하는, 타틀린의 탑을 위한 새로운 기능을 찾아낸다.[70]
〈프로젝트들의 궁전〉은 많은 미니-유토피아들을 탑재한, 망
명 예술가의 거주지가 되었다. 탑의 나선형 모양이 설치의 양
가적 형식을 규정한다. 그것은 뉴욕의 구겐하임 같은 원형적
인 근대 뮤지엄의 형태를 환기하는 동시에 카바코프의 여러
드로잉에 등장하는 달팽이의 껍질을 연상시킨다. 중력을 거
스르는 아방가르드 기념비는 이제 이민자들의 꿈을 위한 이
동식 집이 되어 한시적인 예술적 가정家庭을 보호하는 달팽이
의 껍질로 변한다.

〈프로젝트들의 궁전〉은 기억에 대한 카바코프식 작업
을 예시한다. 완벽한 하나의 환경으로서 그것은 예술가의 과
거 작품들, 앨범〔작업〕의 파편들, 그림, 일상의 사물, 코무날
카 이웃들의 강박적인 수집품들, 미완성의 아방가르드 걸작
들, 재능 없는 예술가가 그린 스케치들, 공동주택의 쓰레기들
을 모두 담고 있다. 게다가 예술가는, 마치 이 설치물이 향수
를 불러일으키는 쓰레기더미를 위한 국제적인 저장고로 바

---

70   카바코프는 1980년대 후반에 총체적 설치 쪽으로 방향을
      전환했지만, 1990년 그가 소비에트 연방을 떠나고 1991년
      소비에트가 종식된 이후에야 설치는 그의 지배적인 장르가
      되었다. 현재 카바코프는 자발적 망명 상태로 미국에서 살고
      있다. 카바코프의 설치 개념과 향수의 활용에 대한 상세한 논의는
      Svetlana Boym, *The Future of Nostalgia*, pp. 309~27와 Boris Groys,
      The Total Art of Stalinism, pp. 84~89를 보라.

꾸기라도 한듯이 관람객들이 각자의 개인 소지품들을 전시장에 남겨두기 시작하는 것을 보았다. 즉 이 작품은 또 다른 방식으로 사람들이 각자의 쓸모없는 물건들을 예술작품으로 바꿀 수 있게 도운 것이다. 이렇듯 카바코프는 미학적 거리 그 자체와 숨바꼭질 게임을 하면서 촉각적인 개념주의를 고취했다.[71] 결국, 〈프로젝트들의 궁전〉은 "가치 있는 인간 삶을 영위한다는 것은 자신만의 고유한 프로젝트를 갖는 것이다"[72]라는 공유된 믿음에 기초한 꿈, 가설, 프로젝트 들로 이루어진 독특한 뮤지엄이다.

카바코프의 견해에 따르면, 모든 사람은 각자 그(녀)의 욕망의 모델을 전시할 동등한 권리를 가져야만 한다. 그가 제안하는 바는 어느 한 그룹의 유토피아를 실제 크기로 건설하는 대신에 사람들에게 각자의 꿈 세계를 미니어처로 보여줄 수 있는 기회를 주자는 것이다. 만일 히틀러가 자신의 제3제국 미니어처 버전을 빈의 예술 기관들에 보여주고 갈채를 받을 수 있었다면, 아마도 20세기의 역사는 달라졌을 것이다!

카바코프의 궁전에는 빽빽한 공동주택〔코무날카〕 생활의 폐쇄공포증적인 조건 아래 태어난 레타틀린 미니어처 같

71   〔옮긴이〕 카바코프의 작품은 대개 관람객이 직접 설치물 안의
      오브제들을 만질 수 있게 허용된다. 미술관 직원들이 관람객에게
      만져보라고 적극적으로 권하기도 하는데, 이른바 촉각적
      개념주의를 지향하는 카바코프 미학의 특징이 여기에 있다.
72   1999년 5월 스베틀라나 보임이 일리야 카바코프와 진행한 인터뷰.

은, 많은 우주적인 꿈들이 있다. 각각의 프로젝트는 각자의 작은 방을 갖는데, 미래의 마지못한 몽상가들을 위한, 그리고 너무 늦게 제출되어 가능한 기한을 모두 넘겨버린 프로젝트들을 위한 빈방도 있다. 거기서 관람객들은 의자에 홀로 앉아 타인의 환상 속에 거주하면서 "함께-경험"할 수 있고, 그로부터 영감을 받을 수도 있다. 거의 모든 프로젝트는 저자를 갖는다. 평범한 몽상가, 지방의 괴짜, 아마추어 과학자, 독학한 우주 철학자, 재능 없는 예술가 혹은 인정받지 못한 천재. 망명 중에 수행된 이 프로젝트에서 예술가의 전략은 이중문화적인데, 즉 치유 요법과 주택 개조에 관한 서구의 언어를 비행과 탈출에 관한 동구의 환상들과 결합하고, 실용적인 미국식 꿈을 세계를 바꾸려는 러시아식 열망들과 결합하는 식이다. 〈프로젝트들의 궁전〉은 문화를 가로지르는 꿈과 강박들의 장엄한 혼종, 유토피아적인 기획과 자기 향상을 위한 10단계 프로그램 사이의 횡단이다.

이렇듯, 카바코프에게 총체적 설치는 집으로부터 멀리 떨어져 있는 집이 된다. 그것은 그로 하여금 자신의 유년의 공포의 지형학을 탈구시키고 낯설게 만들어, 해외에서 다시금 그것들을 길들일 수 있도록 돕는다. 장-프랑수아 리오타르의 범주를 빌리자면, "도무스[집]domus 없이 길들이기 domestication"는 전통적인 가족적 가치들의 도무스와 글로벌 혹은 사이버스페이스의 메가폴리스라는 두 가지 극단을 공

일리야 카바코프와 에밀리야 카바코프, 〈프로젝트들의 궁전〉, 1995~2001.
[미국 뉴욕주 맨해튼의 렉싱턴 애비뉴에 위치한]
69 레지먼트 아모리에 설치, 뉴욕, 2000.
사진: 질 아미아가 포토 스튜디오, 롱아일랜드.

일리야 카바코프와 에밀리야 카바코프,
⟨"누스피어[정신계]와의 접촉"을 위한 빌딩⟩, 2000.
사진: 이고리스 마르코바스.

히 피하면서 자신의 난민 서식지에 거주할 수 있도록 하는 하나의 방식이다.[73] 궁극적으로 카바코프의 프로젝트가 "설치"하는 것은 공간이 아니라 시간이다. 만일 과거와 미래가 그의 설치들에서 물건들의 형태와 위치 속에 구현된다면, 현재는 관람객 자신에 의해 인격화된다. 카바코프의 묘사 속에서 "시간의 나선"은 그녀[관람객]를 관통하여 사방으로 풀려나간다.

카바코프의 작품은 또한 기억의 선택성에 관한 것이기도 하다. 그의 파편화된 "총체적 설치들"은 모든 종류의 유토피아적 체계의 바탕에 놓인 이런저런 틈새와 절충, 당혹과 검은 구멍에 대한 신중한 환기가 된다. 과거를 향한 모호한 열망은 역사의 개인적 경험과 연결되어 있다. 공감에 낯설게하

---

73   Jean-Francois Lyotard, "Domus and Megapolis," in *The Inhuman:*
      Reflections on Time, Geoffrey Bennington and Rachel Bowlby(trans.),
      Stanford, CA : Stanford University Press, 1991. 안드레아스
      휘센Andreas Huyssen은 그의 책(*Twilight Memories: Marking Time
      in a Culture of Amnesia*, New York : Routledge, 1995, p. 35)에서
      이렇게 주장한다. 현재의 기억 붐은 과거에 대한 키치화가 심화된
      결과가 아니라 "잠재적으로 건강한 쟁론의 징후이다. 즉 정보적
      하이퍼 공간과 제아무리 조직화된 것이라 할지라도 확장된
      시간성의 구조 속에서 살고자 하는 인간의 기본적인 욕구의
      표현 사이의 쟁론이 그것이다. […] 이런 하이테크적 미래의
      디스토피아적 비전에서는 기억상실증이 기억과 망각의 변증법의
      한 부분이기를 그친다. 그것은 그 자신의 급진적인 타자가 될
      것이다. 기억의 망각 행위 자체를 봉인해버릴 것이다. 기억할 것도
      잊을 것도 없다."

기를 결합시킴으로써, 그의 아이러니적인 노스탤지어는 기억하는 행위의 윤리학에 관한 성찰로 관객을 초대한다. 더 나아가 카바코프는 근대 유토피아의 기원으로 소급해 들어가 두 가지 모순적인 인간적 충동을 드러낸다. 모종의 집단적인 동화 속에서 일상을 초월하려는 열망과, 기억을 보존한 채로 살아남음으로써 가장 살아가기 힘든 폐허 속에 거주하려는 열망이 그것이다. 그의 설치 예술은 진보의 목적론의 실패를 전시한다. 단독적이고 통합적이며 휘황찬란한 모종의 미래의 궁전 대신에 눈앞에 보여지는 것은 과거와 미래의 사방으로 흩어진 모델들이다. 카바코프의 총체적 설치들은 유토피아를 향한 향수를 드러내지만 동시에 유토피아를 그 기원으로, 즉 삶 속의 유토피아가 아닌 예술 속의 유토피아로 되돌린다.

최근 프로젝트들에서 카바코프는 설치를 위한 장소로 산업적 폐허 및 대규모 근대화 프로젝트의 흔적을 선택하는 경향을 보여준다. 〈프로젝트들의 궁전〉은 뉴욕의 아모리와 독일 에센의 코케라이 졸페라인에 설치되었다. 산업적 폐허들의 한가운데 자리한 그의 설치는, 모더니티의 폐허를 위한 테크네*techne*, 낯설게하기 그리고 관용을 재고함에 있어서 오프모던 최고의 전통들을 따르고자 하는 동시대 예술의 경향을 강조한다. 런던의 테이트 모던에서 매사추세츠 현대미술관까지, 고든 마타-클락Gordon Matta-Clark에서 제인과 루이스 윌슨Jane and Louise Wilson 자매의 작업에까지 이르는 다양한 예술 프로젝트들에서, 우리는 건축, 설치 예술, 실험 문학 사이의 이러한 환상적인 교차를 발견할 수 있다. 타틀린의 탑은 마치 상실된 기회들의 유령처럼 이런 개념적 작품들 속에 출몰한다.

로버트 스미스슨Robert Smithson의 〈엔트로피 경관들 Entropic Landscapes〉 〈나선들Spirals〉 〈나선 방파제들Spiral Jetties〉에서 타틀린은 미국식 경관의 평행 우주에 자리한 보르헤스와 나보코프를 만난다. 여기서 타틀린의 폐허/건설 현장, 보르헤스식 "원형의 폐허들circular ruins,"[74] 그리고 나보코프의 상상력의 나선들[75]은 20세기의 대안적 건축의 독특한 뮤지엄을 구성한다.[76] 쇠락하는 전후 근대 건축을 기반으로 한 프로젝트인 윌슨 자매의 〈자유로운 무명의 기념비Free and Anonymous Monument〉는 영화 프로젝션을 사용하여 타틀

---

74 〔옮긴이〕 보르헤스의 동명의 단편소설(「원형의 폐허들」, 『픽션들』, 황병하 옮김, 민음사, 2011) 참조.

75 〔옮긴이〕 나보코프는 자전적 에세이 『말하라, 기억이여Speak, Memory』에서 "시간에 관련된 모든 것들이 본질적으로 나선의 성질을 지〔닌〕"다고 말하면서 그것을 변증법에 연결시킨 바 있다.

76 스미스슨이 가장 아끼는 문학 텍스트들에 대한 논의는 다음을 보라. Thomas Crow, "Cosmic Exile: Prophetic Turns in the Life and Art of Robert Smithson," pp. 32~80와 Richard Sieburth, "A Heap of Language: Robert Smithson and American Hieroglyphics," pp. 218~24. 두 텍스트 모두 Robert Smithson, Los Angeles: Museum of Contemporary Art, 2004에 실려 있다.

제인 윌슨과 루이스 윌슨, 〈갑판, 고릴라 VI, 자유로운 무명의 기념비〉, 2003.

고든 마타-클락, 〈서커스〉, 1978.

로버트 스미스슨, 〈엔트로피 경관들〉, 1970.

린 탑의 명멸하는 형상들을 만들어냈다.[77] 이와 유사하게 철거를 위해 슬레이트로 덮은 건물들을 잘라낸 고든 마타-클락의 "절단cuts"에서도 미래 건축의 모델인 타틀린의 탑은 바벨의 나선을 반향하듯 절단의 형상 속에서 부정신학via negativa적으로 나타난다.

산업적 형식과 자료 들을 재활용하는 이런 건축적·예술적 프로젝트들에서 오프모던은 역설적인 폐허애호의 형식을 통해 자신을 드러낸다. 새로운 건물이나 설치는 과거를 파괴하지도 다시 건설하지도 않는다. 오히려 건축가나 예술가는 역사의 잔재들과 더불어 공共창조하며, 근대의 폐허들과 협업하고, 그것들의 기능—실용적인 기능과 시적인 기능 둘 다—을 재정의한다. 그 결과 나타난 절충적이고 한시적인 건축은 과거와 미래로, 문화적 형식의 상이한 실존적 지형들로 시공간의 연장을 촉진한다. 오프모던의 시선은 인간적 시간과 역사적 시간 그리고 자연적 시간 사이의 양가적 관계와 부조화를 인정한다. 그것은 원근법주의와 추론된 역사에 스스로를 끼워 맞춘다. 이렇듯, 오프모던의 관점은 우리로 하여금 유토피아적인 프로젝트들을 변증법적인 폐허로서 프레이밍

---

77   이 프로젝트에 관한 상세한 논의는 다음을 보라. Giuliana Bruno, "Modernist Ruins, Filmic Archaeologies: Jane and Louise Wilson's A Free and Anonymous Monument"(2004), in *Public Intimacy: Architecture and the Visual Arts*, Cambridge MA: MIT Press, 2007.

할 수 있게 허용한다. 그것들을 폐기하거나 철거하는 것이 아니라 우리 자신의 찰나적인 현재와 대면시키고 통합시킨다.

　한나 아렌트는 마지막 저서『정신의 삶』에서 두 가지 종류의 사유를 구별할 것을 제안했다. "전문적 사유"라 불리는 첫번째가 학제성과 논리적 일관성에 집중한다면, "열정적 사유"라 불리는 두번째는 지식의 한계를 탐구하면서 체계성과 일관성의 요구가 아닌 경외감에 의해 인도된다. 오프모던의 사유는 이론과 실천, 상상적 건축과 물리적 경험 사이의 이중적 운동에 관여하는 열정적 사유의 한 형식이다.[78]

78　Hannah Arendt, *The Life of the Mind*, New York : Harcourt Brace Jovanovich, 1978, pp. 2, 5~7, 198~99.

오프모던 선언문

오류error의 여백

"그건 내 잘못이 아니에요. 통신 오류가 발생했어요." "빅토리아"라고 불리는 목소리를 사용해 내 컴퓨터가 내게 항변을 한다. 그렇게 자기 변명을 한 후에 연결 상태를 재확인하고 설명서를 따라 조치해줄 것을 내게 요청한다. 나는 그렇게 하지 않는다. 내가 조급하게 프린터에서 종이를 뽑아내자, 이미지가 깨지고 잘려나간 흔적과 오류로 인한 가로 선들, 잉크 얼룩, 내 손자국이 전문가용 광택 용지 표면에 남는다. 언젠가 한번은 방향을 잃은 컴퓨터가 혼란에 빠진 기억[메모리]의 심연으로부터 엉뚱한 워터마크를 뱉어낸 적이 있다. 이미지를 가로질러 "복사하지 마시오"라는 경고문을 찍어낸 것이다. 통신 오류는 각각의 인쇄를 반복 불가능하며 예측 불가능한 것으로 만들어준다. 나는 컴퓨터 오류들을 수집한다. 오류는 아우라를 갖는다.

로마의 속담이 이르기를, 오류를 범하는 것은 인간적이다. 선진 기술의 용법에서는 인간성의 공간 자체가 오류의 여백으로 밀려난다. 이른바 기술은 인간적 요인이 없다면 온전히 신뢰할 만한 것이 된다고 일컬어져왔다. 우리는 완전히 한 사이클을 돈 것 같다. 인간이 된다는 것은 오류를 범한다는 것이다. 하지만 바로 이런 오류의 여백이 우리의 자유의 여백이기도 하다. 그것은 우리를 위해 프로그램된 복수의 선택지들 너머에 있는 선택, 컴퓨터화된 상호작용성으로부터 배제된 상호작용이다. 오류란 우리와 기계 사이의 우연한 만남으로서, 거기서 우리는 서로에게 놀라움을 안긴다. 컴퓨터 오류의 예술은 고급한 기술도 저급한 기술도 아니다. 오히려 그것은 "망가진 기술broken technology"이다. 그것은 기술적 진보와 기술적 노화 둘 모두를 농락한다. 그리고 어떤 아마추어 예술가도 그럴 능력이 있다. 예술의 새로운 기술은 망가진 기술이다.

혹은 우리는 그것을 고장난, 불규칙한, 향수 어린 것이라고 불러야 할까? 노스탤지어는 더 이상 존재하지 않는, 혹은 십중팔구 존재한 적이 없었던 집을 향한 열망이다. 그런 존재하지 않는 집이란 마치 친근한 이웃이나 친척 들처럼, 예술과 기술이 함께 거주하는 이상적인 코무날카와 비슷하다. 어쨌든 테크네Techne라는 것은 한때 예술, 공작, 기술을 가리키는 말이었다. 예술과 기술은 공히 인간의 인공 보철물의 형식, 인간적 공간을 상상적 혹은 물리적으로 연장시키는 잃어버린 수족 같은 것으로 상상되었다. 영화[76]와 우주 로켓을 포함한 많은 기술적 발명들은 최초에 과학소설이 구상해낸 것이다. 즉, 과학자들이 아니라 작가와 예술가 들에 의해 상상되었다. "가상현실"이라는 단어는 사실 빌 게이츠가 아니라 앙리 베그르송이 발명했다. 애초에 그것은 인간 상상력과 의식의 가상적[잠재적] 현실들, 기술에 의해 모방될 수 없는 것을 가리키는 말이었다. 20세기 초반 예술과 기술의 경계가 어느 때보다도 비옥해졌다. 아방가르드 예술가와 비평가 들은 매체를 그대로 드러내고 우리가 세계를 새롭게 볼 수 있게 만드는 예술의 낯설게하는 장치를 가리키기 위해서 "기법technique"이라는 말을 사용했다. 훗날 광고 문화는 아방가르드를 여러 스타일 중 하나로 전유해버렸다. 진보의 유토피아를 낯설게 만들기보다 외려 친숙하게 만드는 흥미진진한 시장 친화적 모습으로 말이다. 새로운 할리우드 영화는 특수 효과를 창출하기 위해 가장 진보된 기술을 활용했다. 만일 예술적 기법이 의식의 메커니즘을 노출시킨다면, 기술을 사용한 특수 효과는 환영과 조작을 길들인다.

예술 자체가 단순히 잘려나간 장면outtake, 인간 역사에 대한

79   [옮긴이] 수전 벅-모스는 영화 스크린을 지각의 보철물로 상상해
      온 역사적 과정을 고찰한 바 있다. Susan Buck-Morss, "The Cinema
      Screen as Prothesis of Perception: A Historical Account," C. Nadia
      Seremetakis(ed.), *The Senses Still. Perception and Memory as
      Material Culture in Modernity*, Routledge, 1994, pp. 45~62.

긴 주석이 되어버린 것일까? 미국에서는 문화가 아닌 기술이 혁신을 위한 공간으로 여겨진다. 예술은 눈치 없이 너무 오래 머무는 손님이 된 것처럼 보인다. 하지만 아마추어 예술가들, 붕괴된 고향을 떠나온 이민자들은 모든 악조건에도 불구하고 살아남는다. 그들은 종종 불법적으로 국경을 넘으며, 마치 디아스포라 리포맨[대금미납상품회수원]처럼 한때 그들에게 속했던 것들을 되찾으려, 예술의 공간을 재정복하려고 시도한다.

아마추어 예술가들은 새로움을 추구하지도, 그렇다고 트랜디한 지체를 추구하지도 않는다. "avant"이나 "post" 같은 접두어들은 오늘날의 미디어 세기에 똑같이 부적절하고 철 지난 것처럼 보인다. "trans"의 환영도 마찬가지다. 인간은 랭보가 한때 꿈꾸었듯이 "완전히 현대적"일 필요가 없다. 오프모던적이 되어야 한다. 체스 게임에서 옆으로 움직이는 기사 말. 근대 프로젝트의 탐구되지 못한 모종의 잠재성들로의 우회.

망가진-기술broken-tech의 예술은 파괴 속에서 번창하지 않는다. 때로 나는 내 컴퓨터를 가격하고 가볍게 볼기를 때리며 그것을 한계로 몰고 가는 지경까지 나아가곤 한다. 나는 공예가가 자기 도구들을 다루듯이 그것을 내 손으로 다루고 싶다. 다만 질료에 대한 공예가의 믿음 없이 말이다. 하지만 나는 컴퓨터를 부숴버리고, 내 어린 시절 새는 펜과 모눈종이 위 잉크자

115

국의 열망으로 되돌아가기를 원했던 적은 없다. 망가진-기술의 예술은 러다이트Luddite가 아니라 유희적인ludic 예술이다. 그것은 놀면서 파괴에 도전한다.

짧은 그림자, 영원한 표면들.

20세기 초반 프랑스의 사진가 자크 앙리-라티크Jacque-Henri Lartique는 사진이 할 수 없었던 것을 할 수 있게 만들기를 원했다. 운동의 포착이 그것이다. 이미지의 번짐은 사진적 오류, 즉 사진이 결코 할 수 없었던 것을 향한 향수, 영화를 향한 열망이다.

하지만 사진은 영화처럼 수다스러운 것이 될 수는 없었다. 그것은 해피엔딩 없는 생략된 내러티브를 제공했다. 그것의 쏜살같은 서사적 잠재성들은 결코 자신의 극본가와 연출가를 찾아낼 수 없었다. 언제나 거기엔 한두 개의 구름, 사진 표면의 갈라진 자국, 플롯을 회피하는 짧은 그림자가 있었다.

특유의 흉내 내기 힘든 비스듬한 명석함으로 발터 벤야민은 짧은 그림자의 중요성에 관해 쓴 적이 있다. 그것들은 "소리 없이, 부지불식간에, 그 자신의 거처, 자신의 비밀 속으로 물러갈 태세를 하고 있는, 사물들의 발끝에 걸린 날카로운 검은 모

서리일 뿐"이다.[80] 짧은 그림자들은 문턱을 이야기한다. 그것
들은 우리가 너무 근시안적이 되거나 너무 큰 날개를 달지 않
도록 주의를 준다. 우리가 사물들의 짧은 그림자를 경시하고
너무 가까이 사물들에 다가갔다가는 그것들을 없애버릴 위험
이 있지만, 그렇다고 그림자들이 너무 커지게 내버려둔다면
우리가 그것들에 휩쓸려들어가 즐기고 있게 될 수도 있다. 짧
은 그림자들은 우리가 가까움과 멀어짐 사이의 균형을 점검하
도록, 사물의 본질을 말하는 자들과 음모론적인 가장simulation
을 설교하는 자들 모두를 믿지 않도록 촉구한다.

망가진-기술의 예술은 짧은 그림자들의 예술이다. 그것은 우
리의 주의를 표면, 가장자리 그리고 문턱으로 향하게 한다. 10
년간 여행을 하면서 여러 도시들에서 찍은 수백 장의 창문, 대
문, 파사드, 뒤뜰, 담장, 아치 그리고 일몰 사진들이 쌓였고,
나는 그것들을 내 책상 밑 비닐봉지에 모아두었다. 나는 내 디
지털 카메라로 예전의 스냅숏들을 재촬영했고, 그러자 이 다
른 시간과 공간의 태양이 한때 번쩍이던 표면에 새로운 그림자
를 드리웠다. 레몬차 얼룩과 여러 친구들의 지문과 함께 말이

<hr>

80   Walter Benjamin, "Short Shadows," Rodney Livingstone(trans), in
      Selected Writings, vol. 2, pt. 1, Cambridge, MA: Harvard University
      Press, 2004, p. 701. [발터 벤야민, 「짧은 그림자들」,
      『일방통행로ㅣ사유이미지』, 김영옥·윤미애·최성만 옮김,
      도서출판 길, p. 176.]

117

다. 나는 포토샵에서 사전에 프로그래밍된 특수 효과들을 되도록 사용하지 않으려 했다. 장인적 기예의 진본성을 믿어서가 아니라 보편적인 가장에 대한 음모론적 믿음을 신뢰하지 않기 때문이다. 나는 스스로의 실수로부터 배우기를 원하는바, 오류를 범하도록 나 자신을 내버려둔다. 나는 사진들을 새로운 물리적 환경 속으로 가지고 가서, 이따금 노출과 초점의 법칙에서 벗어난 채로 그곳에 머물게 한다.

다른 한편으로, 나는 바깥 세계, 즉 "자연적인" 콜라주들과 모호한 이중노출들에서 레디메이드를 찾아낸다. 나는 종종 "스트레이트 포토그래피straight photograph"를 가장 호도하는 이미지로 여긴다. 아무도 그것들을 액면 그대로 받아들이지 않는데, 왜냐하면 우리는 의심의 잔상에 짓눌려 있기 때문이다.

최근까지도 우리는 사진의 증언에 관한 순진한 믿음을 간직하고 있었다. 롤랑 바르트가 사물의 "거기 있었음"이라고 불렀던 무언가를 포착할 수 있는 사진의 힘을 믿었다. 좋든 나쁘든 이제 더는 믿지 않는다. 우리에게 이제 이미지들은 언제나 이미 변형된 것, 픽셀이 여기저기 얼마간 손실된 것, 모종의 의심스러운 보이지 않는 손에 의해 지워져버린 것으로 나타난다. 게다가 우리는 이제 이런 신비한 이미지들을 분석하는 대신에 그것들이 걸어오는 만족스런 최면에 스스로를 맡긴다. 망

가진-기술의 예술은 우리의 자기-픽셀화의 정도를 드러내고,
우리의 냉소적 이성의 최면적 효과를 발가벗긴다.

헤맴, 환승

우리는 우리들의 공통의 모더니티가 만든 익명의 건물들에 둘
러싸여 있다. 이 또 다른 국제적 스타일은 소위 걸작들 속에서
기념되지 않는다. 대신에 그것은 바르샤바, 페테르부르크, 베
를린, 사라예보, 브라티슬라바, 자그레브, 소피아의 외곽 지
역에 자리한다. 심지어 내가 찍은 사진들 속에서조차 종종 서
로 구분이 불가능한 이 건물들은 글로벌 문화의 철 지난 대중
장식mass ornament을 구성한다. 하지만 그것은 단지 첫인상일
뿐이다. 좀더 주의 깊게 살펴보면 창문, 발코니, 흰 벽 어느 것
하나 똑같지 않다는 걸 알 수 있다. 이 익명의 주거지에서 살
아간 사람들은 차이가 잘 드러나지 않는 미묘한 뉘앙스를 지
닌 언어를 발전시켰다. 그들은 자신들의 일상적 삶의 단독적
이며 반복되지 않는 장면들을 드러냈다. 반쯤 올라간 레이스
커튼, 1960년대의 레트로 컬러로 된 먼지 낀 램프 갓, 더 나은
나날을 목도했던 화분의 꽃들, 여기저기 걸려 있는 야한 속옷
자락들. 이 건물의 입주자들은 다른 곳을 꿈꾸었는데, 그러니
까 향수병homesick에 걸린 동시에 집을 지긋지긋해했다sick of

home. 마치 사막의 꽃들처럼, 위성 티브이 안테나들이 폐허가
된 발코니 위에 걸려 있었다.

혼종적 유토피아, 아방가르드 상상계

유토피아는 여전히 가능할까? 아니면 우리는 유토피아를 그
것의 기원으로, 즉 삶이 아닌 예술 속으로 돌려보내야 할까?
나는 인터넷에서 타틀린 스튜디오와 나보코프의 나비 이미지
를 발견했고, 우연히 하나 위에 다른 하나를 겹쳐 인쇄했다.
그 결과는 내게 소비에트 시절의 과학 수업을 연상시켰는데,
우리는 사회주의 생물학의 프로젝트들, 특히 배와 사과를 끝
도 없이 이종교배했던 이반 미추린Ivan Michurin의 작업을 공부
하곤 했다. 수년이 흐른 후 나는 흔히 서로 대립되는 것으로 여
겨지는, 20세기의 두 가지 상이한 꿈과 미학적 유토피아를 우
연히 교차수정시키게 된 것이다. 타틀린에 의한 아방가르드
상상력의 희한한 비행과, 그에 못지않게 희한한 나보코프의
예술적 귀향이 그것이다.

오류들을 통해서 나는 나 자신의 응답 없는 노스탤지어와 마주
하게 되었다. 망명 이후 9년간 떠나 있던 레닌그라드로 1989
년에 되돌아갔을 때, 나는 폐허가 된 내 옛 집을 보았다. 모든

120

것이 슬픈 절망 상태에 놓여 있었다. 20세기 초반의 러시아 아르누보 스타일로 된 네오-바로크식 파사드뿐 아니라 안쪽 마당과 코무날카로 향하는 안쪽 계단도 마찬가지였다. 나는 이 친숙한 장소의 폐허 앞에서 망연자실했다. 카메라를 꺼내 사진을 찍기 시작했을 때, 나는 녹슨 파이프관 위에 적힌 그래피티 낙서를 발견했다. "죽음."

다시 미국으로 돌아와서 나는 폐허가 된 내 집의 이미지를 인쇄하려 해보았다. 내 싸구려 프린터는 검정색 잉크가 동이 난 상태였는데 여러 번 때리자 마지못해 일탈적이고 독특한 환각적 컬러로 자신의 무의식을 뱉어내기 시작했다. 나중에 가서 나는 당시 반쯤 부서진 내 집 마당에서 부조리 시인 다닐 하름스Daniil Kharms에 관한 영화가 촬영되고 있었다는 걸 알게되었다. 블라디미르 타틀린이 하름스 책의 삽화를 그린 바 있다.[81] 그 영화는 러시아 아방가르드의 최후에 관한 다큐멘터리였다.

---

81   [옮긴이] 타틀린은 1930년대 초반에 아동문학 작가 사무엘 마르샥 Samuel Marshak의 주선으로 다닐 하름스가 쓴 아동도서 『첫번째와 두번째Vo Pervykh i vtorykh』의 표지 그림을 그렸다.

비평가, 아마추어

만일 1980년대에 예술가들이 각자의 고유한 큐레이터가 되기를 꿈꾸며 이론가로부터 무언가를 빌려왔다면, 이제는 이론가들이 예술가가 되기를 꿈꾸고 있다. 자신들의 학제가 전문화되어가는 데 실망한 그들은 이제 서로의 영토로 망명을 한다. 또다시 옆으로 가는 움직임이다.

뒤나 앞으로 가는 게 아니라 옆으로 간다. 아마추어의 잘려나간 장면들은 이제 더 이상 제거되지 않고 안-잘린 장면들과 나란히 자리한다. 나는 그것들을 무엇이라고 불러야 할지 모르겠는데, 왜냐하면 요즘엔 무엇이 이런 안-잘린 장면들에 해당하는지에 관한 합의가 없기 때문이다.

하지만 아마추어의 헤맴은 계속된다. 바르트가 이해했듯이, 아마추어란 끊임없이 배운 것을 고의로 다시 잊는unlearn 사람, 소유하기 위해서가 아니라 부드럽고 변덕스럽고 절박하게 사랑할 줄 아는, 그런 사람이다. 모든 찰나적인 에피파니에 감사할 줄 아는 아마추어는 탐욕스럽지 않다.

도판

York, NY.〕

33쪽 위   국립미술관에 전시된 레타틀린, 모스크바, 1932.
〔Letatlin exhibited in the Museum of State Art,
Moscow, 1932. Courtesy Museum of State Art,
Moscow.〕

33쪽 아래   레타틀린의 기체, 1932. 〔Fuselage of Letatlin, 1932.
Courtesy Central State Archive of Literature and Art
(TsGALI), Moscow.〕

36쪽   1930년 4월 19일 모스크바에서 거행된 블라디미르
마야콥스키 장례식에서 사용된 관. 〔Vladimir
Mayakovsky's catafalque in his funeral procession
in Moscow, April 19, 1930. Courtesy Central State
Archive of Literature and Art (TsGALI), Moscow.〕

37쪽 위   알렉산더 로드첸코, 〈수문에서의 마지막 시간〉,
1934. 〔Alexander Rodchenko, Last Hour on the
Lock, 1934. © Estate of Alexander Rodchenko/RAO,
Moscow, VAGA, New York, NY.〕

37쪽 아래   백해 운하 건설 작업, 1930~33, 촬영자 미상. 〔Work
on Belomor Canal, 1930~33. Photographer unknown.
Collection of Karelian State Regional Museum,
Petrozavodsk.〕

40쪽 위   블라디미르 타틀린, 〈흰색 단지와 감자〉, 1948~51.
〔Vladimir Tatlin, White Jar and Potato, 1948~51.
Courtesy Russian State Archive of Literature and Art,
Moscow.〕

40쪽 아래   블라디미르 타틀린, 〈펼쳐진 책 위의 해골〉,
            1948~53. 〔Vladimir Tatlin, A Skull on an Open
            Book, 1948~53. Courtesy Russian State Archive of
            Literature and Art, Moscow.〕

41쪽 위   블라디미르 타틀린, 〈기쁨의 성배 장식 세트를
            위한 컬러 스케치〉, 1949~50. 〔Vladimir Tatlin,
            color sketch for the set decoration of Chalice of Joy,
            1949~50. Courtesy A. A. Bakhrushin State Central
            Theater Museum, Moscow.〕

41쪽 아래   블라디미르 타틀린, 〈기쁨의 성배 장식 세트를
            위한 컬러 스케치〉, 1949~50. 〔Vladimir Tatlin,
            color sketch for the set decoration of Chalice of Joy,
            1949~50. Courtesy A. A. Bakhrushin State Central
            Theater Museum, Moscow.〕

44쪽   보리스 이오판·블라디미르 겔프레이흐·
            블라디미르 슈코·S. 메르쿨로프, 〈소비에트 궁전〉,
            1946. 〔Boris Iofan, Vladimir Gelfreikh, Vladimir
            Schuko, and S. Merkulov, Palace of the Soviets, 1946.
            Courtesy Schusev State Museum of Architecture,
            Moscow.〕

45쪽 위   〈타틀린 기념탑〉 모형, 파리 현대예술국립미술관
(왼쪽)   조르주 퐁피두 센터, 1979. 〔Model of Tatlin's
            Tower in the Musée National d'Art Moderne, Centre
            Georges Pompidou, Paris, 1979. Photograph: Hervé
            Lewandowski. Courtesy CNAC/MNAM/Dist. Réunion

des Musées Nationaux/Art Resource, NY.〕

45쪽 위
(오른쪽)
〈타틀린 기념탑〉 모형, 뒤셀도르프 문화와 경제 포럼의 "탑의 꿈" 전시, 2004년 5월. 〔Model of Tatlin's Tower in the exhibition "Der Traum vom Turm" (The Dream of the Tower) at Forum Kultur und Wirtschaft, Düsseldorf, 2004~2005. © NRW-Forum, Düsseldorf.〕

45쪽 아래
(왼쪽)
〈타틀린 기념탑〉 모형, 모데르나 미술관, 스톡홀름. 〔Model of Tatlin's Tower in the Moderna Museet, Stockholm. Courtesy Moderna Museet, Stockholm.〕

45쪽 아래
(오른쪽)
〈타틀린 기념탑〉 모형, 트레티야코프 미술관 신관, 모스크바, 1992~93. 〔Model of Tatlin's Tower in the New Tretyakov Gallery, Moscow, 1992~93. Courtesy New Tretyakov Gallery, National Museum of Russian Fine Art, Moscow.〕

50쪽
1918년 10월 23일 러시아 혁명 일주년을 기념하여 보스타니예 광장에 세워진 소비에트 "자유의 기념비," 페트로그라드.

80쪽
콘스탄틴 보임, 〈소비에트 궁전〉과 〈타틀린 기념탑〉, 1996. 〔Constantin Boym, Palace of the Soviets and Tatlin's Tower, 1996. From the series Missing Monuments: Souvenirs for the End of the Century. Courtesy Boym Partners Inc.〕

81쪽
비탈리 코마르와 알렉산더 멜라미드, 〈사원, 러시아로부터의 엑소더스〉, 시온 산에서 퍼포먼스,

예루살렘, 1978. 〔Komar and Melamid, Temple, Exodus from Russia, performance on Mount Zion, Jerusalem, 1978. Courtesy Komar and Melamid.〕

82쪽 이고르 마카레비치와 엘레나 옐라기나, 〈(타틀린 탑과) 독버섯〉, 2003. 〔Igor Makarevich and Elena Elagina, Toadstool (with Tatlin's Tower), 2003. Courtesy XL Gallery, Moscow.〕

86쪽 레오니드 소코프, 〈엄마와 아이〉, 1986. 〔Leonid Sokov, Mother and Child, 1986. Courtesy Leonid Sokov.〕

91쪽 레오니드 소코프, 〈감시탑, 군인으로서의 자화상〉, 1996. 〔Leonid Sokov, Watchtower, Self-Portrait as a Soldier, 1996. Courtesy Leonid Sokov.〕

92쪽 레오니드 소코프, 〈굴라크 감시탑의 폐허〉, 2005. 〔Ruins of a Gulag tower, 2005. Photograph: Irina Flige. Courtesy St. Petersburg Research and Information Center "Memorial" and Virtual Gulag Museum.〕

98쪽 유리 아바쿠모프, 〈페레스트로이카 탑〉, 1990. 〔Yuri Avvakumov, Perestroika Tower, 1990. Courtesy Yuri Avvakumov.〕

102쪽 일리야 카바코프와 에밀리야 카바코프, 〈프로젝트들의 궁전〉, 1995~2001, 69 레지먼트 아모리에 설치, 뉴욕, 2000. 〔Ilya and Emilia Kabakov, The Palace of Projects, 1995~2001.

Installation at the 69th Regiment Armory, New York, 2000. Photograph: Gil Amiaga Foto Studio, Long Island. Courtesy Ilya and Emilia Kabakov and Public Art Fund, New York.〕

103쪽   일리야 카바코프와 에밀리야 카바코프, 〈"누스피어〔정신계〕와의 접촉"을 위한 빌딩〉, 2000. 〔Ilya and Emilia Kabakov, Building of "Contact with the Noosphere," Center for Cosmic Energy, 2000. Photograph: Igoris Markovas. Courtesy Ilya and Emilia Kabakov.〕

107쪽   제인 윌슨과 루이스 윌슨, 〈갑판, 고릴라 VI, 자유로운 무명의 기념비〉, 2003. 〔Jane and Louise Wilson, Deck, Gorilla VI, A Free and Anonymous Monument, 2003. Courtesy Jane and Louise Wilson.〕

108쪽   고든 마타-클락, 〈서커스〉, 1978. 〔Gordon Matta-Clark, Circus, 1978. © 2007 Estate of Gordon Matta-Clark/Artists Rights Society (ARS), New York.〕

109쪽   로버트 스미스슨, 〈엔트로피 경관들〉, 1970. 〔Robert Smithson, Entropic Landscape, 1970. © Estate of Robert Smithson/James Cohan Gallery, New York/VAGA, New York.〕

123쪽   스베틀라나 보임, 〈하이브리드 유토피아 (나비와 함께 있는 레타틀린)〉, 2002~7. 〔Svetlana Boym, Hybrid Utopias (Letatlin with Butterfly), 2002~2007. Courtesy Svetlana Boym.〕

오프모던의 건축:

유토피아적 비계에서
변증법적 폐허까지

I. 들어가며

2015년에 56세의 나이로 세상을 떠난 유대계 러시아 출신 연구자 스베틀라나 보임은 30여 년간의 저술과 창작을 통해 21세기 지성사에 적지 않은 족적을 남겼다. 그녀의 삶이 그랬던 것처럼, 예술과 건축, 문학과 철학, 그리고 기술의 상호 교차를 흥미롭게 탐색한 그녀의 저서들은 좁은 학제의 경계선을 넘어 멀리멀리 이주했다. 대표적으로 2001년도에 출간된 책 『노스텔지어의 미래』는 학자들이 '기억'을 바라보는 방식을 결정적으로 바꿔놓았으며, 그녀의 이름을 영원히 '노스텔지어' 개념과 연결시킨 바 있다. 국내에는 2019년에 번역된『공통의 장소』와 한 편의 글[1]을 통해 알려졌지만, 그녀의 저작 전반을 아우르는 체계적인 소개는 여전히 미흡한 형편이다.

본 해제 글의 목표는 크게 두 가지다. 첫째는 "모더니티의 대안적 계보학"을 향한 스베틀라나 보임의 지적 여정을 전반적으로 소개하는 가운데 여정의 마지막 시기를 대표하

1 　스베틀라나 보임,『공통의 장소』, 김민아 옮김, 그린비, 2019; 스베틀라나 보임,「화장실에서 박물관까지: 소비에트 쓰레기의 기억과 변형」, 아델 마리 바커 엮음,『러시아 소비하기』, 정하경 옮김, 그린비, 2018, pp. 568~88.

는 "오프모던의 기획"을 고찰해보는 것이다. 이를 위해 먼저 보임이 커리어 내내 발전시켜온 탐색의 주요 지점들을 일별하면서 각 단계의 두드러진 특징들을 짚어볼 것이다. 그다음으로 '오프모던'을 표제로 한 두 편의 글[2]을 독해하면서 이 개념을 둘러싼 담론적 지형을 점검해볼 것이다.

해제 글의 두번째 목표는 오프모던 개념의 실제 적용 사례에 해당하는 본 번역서 『오프모던의 건축』(2008)의 특징과 의의를 살펴보면서 그 안에 담긴 예술사적 이슈들을 톺아보는 것이다. 특히 이 책에서 보임이 집중적으로 다루고 있는 네 명의 인물(타틀린, 시클롭스키, 에이젠슈테인, 카바코프)과 관련해 그녀의 고찰을 보완해줄 만한 이론적 배경 및 선행 연구들을 제시함으로써 이 책의 풍부한 독해에 도움을 주고자 한다. 이상의 시도를 통해 보임의 지적 여정에서 오프모던의 기획이 차지하는 의미를 보임과 동시에 우리 시대의 정초적 사상가 중 한 명인 보임의 위상을 음미할 수 있게 되길 기대한다.

---

2   첫번째 글은 이 책에 부록으로 실린 「오프모던 선언문」이며
       두번째 글은 『이플럭스 저널 *e-flux journal*』(2010, issue 19)에 실린
       「오프모던 거울 The Off-Modern Mirror」(한글본은 『문학과사회』
       2022년 겨울호, pp. 347~62에 실렸다])이다.

II. 지적 전기傳記: 죽음, 일상, 노스탤지어, 자유

스베틀라나 보임은 1959년 레닌그라드(현 상트페테르부르크)에서 태어났다. 게르첸 사범대학에 다니던 중 21세에 미국 망명길에 오른다. 2018년에 출간된 『스베틀라나 보임 읽기』에서 이에 관한 그녀의 회고담을 읽을 수 있다.

> 나는 20세 때 망명하기로 결정했고 부모 없이 조국을 떠나야만 했다. 나는 내 미래의 남편인 모스크바의 건축가 콘스탄틴 보임을 1979년에 크림의 도시 콕테빌에서 만났다. 맥주와 마른안주를 사기 위해 줄을 선 채로 10분간 대화를 나눈 끝에 그는 내게 미국 망명길에 동행하겠느냐고 물었다. [⋯] 이 나라를 떠나고픈 나의 강렬한 열망과, 내 마음에 응답하지 않는 레닌그라드의 남자 친구에게 교훈을 주고픈 그보다는 덜 강렬한 열망이 합쳐져, 충분한 숙고 없이 매우 충동적으로 나는 콘스탄틴과 만난 지 3주 만에 결혼허가를 신청했다. 1년 반이 지난 1981년 1월, 끔찍한 배제와 괴롭힘의 과정을 거친 후 훨씬 성장한 우리의 자아는 마침내 영원히 떠나라는 승인을 받았다. 이것은 로맨틱한 이야기가 아니라 이주의 이야기다. 우리는 시민권을 박탈당

했고, 심지어 가족을 보기 위해 고국으로 돌아가는 것조차 영원히 금지될 거라는 말을 들었다.[3]

빈의 난민 캠프에 몇 달간 수용된 이후 마침내 미국 땅에 도착한 그들은 곧장 이혼했다(2015년 사망할 때까지 그녀가 매달렸던 최후의 작업 중 하나는 '국가 없는 시민'으로서 경험했던 빈 유대인 난민촌의 역사를 다룬 다큐멘터리 영화였다). 회고담보다는 차라리 모험 소설처럼 읽히는 그녀의 망명기는 평생 동안 그녀가 행한 자기-꾸미기self-fashioning, 보임 자신의 표현에 따르면 "자기-편집의 지속적인 실천"을 증명하는 것처럼 보인다. 본국에서 스페인어를 배웠던 그녀는 스페인 내전 시기 난민 수용소에 감금된 적이 있는 부모를 둔 수잔나라는 허구의 인물을 차용하여 보스턴 대학교 서어서 문학과의 문을 두드렸고, 그곳에서 스페인 문학 석사학위를 받는다.

  소비에트가 해체된 해인 1991년에 보임은 하버드 대학교에서 쓴 박사학위 논문 「인용부호 속의 죽음: 현대 시인의 문화적 신화들」[4]을 책으로 출간했다. 1980년대 후반 미국 학

3   Svetlana Boym, *The Svetlana Boym Reader*, Cristina Vatulescu, Tamar Abramov, Nicole G. Burgoyne, Julia Chadaga, Jacob Emery, Julia Vaingurt(eds.), Bloomsbury Publishing, 2018, p. 516.

4   Svetlana Boym, *Death in the Quotation Marks: Cultural Myths of the Modern Poet*, Harvard University Press, 1991.

계에 팽배했던 "작가의 죽음"에 관한 공리를 거스르면서, 프랑스와 러시아 현대 시인들(말라르메, 랭보, 마야콥스키, 츠베타예바)의 텍스트 속에 깊게 침윤된 삶과 죽음의 자취를 되살린 이 데뷔작에서, 보임의 이후 저서들을 예견케 하는 단초들을 발견할 수 있다. 문학이론과 사회심리학, 인류학과 역사학을 갈라놓는 전통적인 학제의 경계를 자유롭게 넘나드는 글쓰기 스타일, 무엇보다 예술과 삶 사이에서 펼쳐지는 역동적인 삼투작용—텍스트가 삶을 담아낼 뿐만 아니라 일상의 경험을 지시하고 형성하는 과정, 그리고 일상의 삶 속에 이미 항상 담겨 있는 창조적이고 미학적인 충동들—을 예민하게 감지해냄으로써 둘 모두를 새롭고 낯설게 느끼도록 만드는 특유의 방식이 그것이다.

하버드 대학교에 자리를 잡은 후에 출간한 두번째 저서 『공통의 장소』(1994)[5]에서부터 보임은 자신의 이중적 정체성과 입지를 적극적으로 동원하는 글쓰기 작업을 개시한다. "소비에트의 마지막 세대"[6]에 속하는 러시아 이민자(내부

5   Svetlana Boym, *Common Places: Mythologies of Everyday Life in Russia*, Harvard University Press, 1994.

6   "소비에트의 마지막 세대"라는 표현은 정확히 10년 후인 2005년에 출간된 알렉세이 유르착의 저서 『모든 것은 영원했다, 사라지기 전까지는』을 통해 널리 알려졌다(유르착은 1960년생으로 보임보다 한 살 어린 사실상의 동년배다). 1981년에 '망명'한 보임과 달리 유르착은 1991년에 (학업을 위해) 미국으로 건너갔다. 그러니까 후자는 소비에트의 '80년대,' 즉 그것의

135

자)이면서 동시에 미국 주류 학계에 안착한 인문학자(외부자)로서 자신의 과거를 낯설게 되돌아보는 방식이 그것이다. 첫 저서의 중심 테마였던 삶의 미학적 연출은 자연스럽게 그녀를 일상적 삶의 주변적이고 세속적이며 감상적인 측면들의 숨겨진 깊이를 탐색하는 작업으로 이끌었다. "소비에트의 일상적 실존과 그것의 비밀스런 구석들, 공식 담론들의 사이 지대 혹은 그것들의 주변부에 새겨진 대안적 공간들의 유토피아적 지형학"[7]을 드러내는 이 책은 내부성과 외부성이 중첩된 이중화된 시선과 더불어 보임 특유의 유희적 언어 감각을 활용했다.

예컨대, 제목부터가 그렇다. "공통의 장소들Common Places"은 공유된 문화적 기억의 장소, 공통의 정체성과 애정의 장소, 그렇기에 손쉽게 (민족적) 신화의 공식적 기념비로 이용될 수 있는 장소를 가리킨다. 그런데 이 단어를 붙여 쓰게 되면 흔해빠진 일상의 진부한 "상투어commonplace"를 의미하게 된다. 기존 언어를 낯설게 (재)감각하도록 만드는 보임 특유의 번역적·이산적 감수성을 잘 드러내는 이런 언어유희

'종말'을 직접 '내부에서' 체험했다는 점에서 전자와 다르다. 이런 차이점이 만들어낸 두 사람의 시각과 평가의 거리는 진지하게 곱씹어볼 만한 주제다.

7   Tamar Abramov, Nicole G. Burgoyne, "LUMINOSITIES: An Introduction," in Svetlana Boym, *The Svetlana Boym Reader*, pp. 21~22.

는 그저 효과적인 수사에 그치는 것이 아니다. 그것은 공통의 장소와 상투성, 신화와 키치를 연결하는 본질적인 공통분모를 드러내면서 양자 모두에 깃들어 있는 갈망longing의 차원을 적절히 시사해준다.

『공통의 장소』에서 보임은 페테르부르크 공동주택(코무날카) 거주자인 연금생활자 류바 아주머니의 거실 서랍장을 가득 채운 잡동사니 모음을 논하면서도 이런 언어유희를 활용한다. 류바 아주머니가 "나의 정물moi natiurmor"이라고 자랑스럽게 부르는 이 컬렉션은 보임에 의해 "사적인 기념비"로서 다시 읽히는데, 이때 정물화에 해당하는 용어로 (natures mortem에서 차용된) "나튀르 모르트"와 그것의 영어 번역어인 "still life"가 번갈아 사용된다. 전자가 고대의 예술 장르를 가리킨다면, 후자는 말 그대로 "움직이지 않는 삶," 즉 (일상의) 평안한 삶이라는 의미를 환기하면서 계속되는 위기들 가운데 일상의 물질성을 가까스로 지켜내고자 하는 소비에트 인민의 열망을 상징하게 된다.[8] 이 책에서 그녀가 만들어낸 "공동의 유토피아의 폐허들ruins of communal utopia"

8   "류바 아줌마의 소비에트 러시아의 기성품 컬렉션, 하찮은 개인의 유토피아와 대중적인 미학의 물건들은 움직이지 않는 삶, 제어되지 않는 변화의 소용돌이 속에서 그 어느 곳으로도 돌진하지 않는 삶에 대한 욕망에 바쳐진 일종의 기념비이다." 스베틀라나 보임, 『공통의 장소』, pp. 270~71.

이라는 표현은 이런 역설적인 복합성을 집약해 보여준다.[9]

　한편, '유토피아'와 '폐허'라는 저 짝패는 다음 책『노스탤지어의 미래』(2001)에서 제시될 보임의 저명한 유형론을 곧바로 연상시킨다. 여기서도 보임은 단어 노스탤지어nostalgia를 이루는 두 개의 어근에 주목한다. 첫 어근인 nostos(집)를 강조하는 "복원적restorative 노스탤지어"가 잃어버린 집의 초역사적인 재건을 시도하면서 집단적·민족적 성격을 띠는 정치적 통일체에 강박적으로 집착한다면, 집을 향한 갈망 자체, 즉 두번째 어근인 algia(고통) 위에서 번성하는 "성찰적reflective 노스탤지어"는 상실의 근본적인 회복 불가능성과 아이러니적인 거리를 인정하면서 역사적 경험의 개인적 차원을 지향한다. 두 개의 어근이 합쳐진 이런 이중적 측면을 다채롭게 변주하면서 그녀는 노스탤지어를 모더니티라 불리는 우리의 과거를 비판적으로 재사유하기 위한 핵심 개념으로

9　　여기서 알 수 있듯이, 한 해 전인 1994년에 존스홉킨스
　　　대학출판부에서 출간된 수전 스튜어트의 책『갈망에 대하여:
　　　미니어처, 거대한 것, 기념품, 수집품에 대한 이야기On Longing:
　　　Narratives of the Miniature, the Gigantic, the Souvenir, the
　　　Collection』(산처럼, 2016)와의 교차점은 두드러진다. 소비에트
　　　출신 망명 연구자라는 보임의 자전적이고 문화적인 배경은
　　　스튜어트의 문제의식에 드라마틱한 역사적·정치적 맥락과
　　　색채(공산주의 유토피아라는 거대 기획의 성립과 그 폐허)를
　　　부여했다. 뒤에서 논하겠지만, 이런 수렴은 개념주의 예술에서
　　　나타나는 기념비의 미니어처/기념품화에서도 확인된다.

등극시켰다.[10]

나보코프나 브로드스키 같은, 보임이 특별히 선호하는 "디아스포라 예술가들"이 전면에 등장하기 시작하는 것도 세번째 저서 『노스탤지어의 미래』에서부터다. 그중에서도 망명 예술가 일리야 카바코프의 "총체적 설치total installation" 는 각별한 중요성을 띤다. 카바코프의 설치 작품들은 향수와 해체의 이중적이고 역설적인 대상, 즉 "집에서 멀리 떨어져 있는 집"으로 규정되면서, "이산적 친밀성diasporic intimacy"이 라는 또 다른 유명한 개념을 낳았다. 보임의 사례 연구 대상 인 저 3인의 예술가들에게, 그들의 전기와 예술 작품은 과거 에 대한 애착 어린 회상(기)일 뿐만 아니라 노스탤지어적인 서사에 관한 의식적인 성찰이기도 하다. "이들 3인 모두는 집 과 귀향에 붙들려 있었지만 누구도 러시아로 되돌아가지 않 았다. 사실 집으로 돌아가지 않음nonreturn이 그들 예술의 추

10   보임은 근대성modernity과 근대화modernization를 구분한다. 보들레르가 창안한 용어인 전자modernite는 본질상 역사적 진보의 주어진 결과인 후자에 대한 비판critique을 수반한다. 그렇기에 근대적이 된다는 것은 곧 산업적 근대화에 대한 비판적 주체critical subject가 될 수 있다는 것을 뜻한다. 마찬가지 의미에서, 노스탤지어는 근대화의 경험에 대한 비판적 반응의 형식이 될 수 있는데, 왜냐하면 노스탤지어는 개인적인 인식 지평에 갇힌 멜랑콜리와 달리 개인적인 것과 집단적인 것의 관계에 관한 것으로, 본질상 유토피아적 계기를 포함하는 특별한 기억의 형식으로서 뒤쪽(과거)뿐 아니라 앞쪽(미래), 때로는 옆쪽을 향할 수도 있기 때문이다.

진력이 되었다."[11]

　소비에트의 대표적인 망명 예술가들의 사적인 노스탤지어, 그들의 유배의 여정을 면밀히 추적하는 미학적 탐구는 그 다음 단계에서 보임을 "자유의 경험"을 정의하려는 시도로 이끌었다. 2010년에 출간한 네번째 저서 『또 다른 자유: 이념의 대안적 역사』는 자유를 철학적 이념도 정치적 권리도 아닌 "제3의 방식"으로 이론화하려는 대담한 시도였다.[12] 자유의 지각을 낯설게 만들기 위해 자유의 기술을 다각도로 시험하는 이 작업에서, 그녀가 사랑하는 선조이자 공동 작업자들이 새롭게 동원된다. 짐멜, 아렌트, 벤야민, 만델슈탐 그리고 시클롭스키가 그들인데, 특히 러시아 형식주의의 대표자인 빅토르 시클롭스키는 각별한 의미를 갖는다. 보임은 시클롭스키가 베를린 망명 중에 쓴 자전적 에세이 『기사 말의 행보』에 나오는 체스 말의 이상한 움직임, 격자무늬 공간을 사선을 따라 비스듬하게 지그재그로 움직이는 행보에 주목한다.

　기사 말의 이상한 행보에는 여러 가지 이유가 있다. 가장 중요한 이유는 내가 [여기서] 쓰고 있는 예술의 관례성이다. 두번째 이유는 그 기사가 자유롭지 않다는 것인데, 즉

11　Svetlana Boym, *The Future of Nostalgia*, Basic Books, 2001, p. 288.
12　Svetlana Boym, *Another Freedom: The Alternative History of an Idea*, The University of Chicago Press, 2010.

그에겐 앞으로 움직이는 것이 금지되어 있다. 〔…〕 러시아
에서는 모든 것이 너무나 모순적인 나머지 의도치 않게 우
리 모두가 기지를 발휘하게 된다. 〔…〕 우리의 일그러진 길
은 용감한 자들의 길이다. 하지만 달리 어쩌겠는가, 우리는
두 눈을 갖고 있으며, 충직한 졸병들이나 충실하게 한 길만
가는 왕보다 더 많은 것을 볼 수 있는데?[13]

시클롭스키가 말하는 용감한 자들의 "일그러진 길"은 "충직
한 졸병"들이나 충실하게 한 길만 가는 "왕"의 길, 그러니까
이 세계를 규정하는 온갖 이원론과 목적론적 정치 신학, 진보
의 직선적 내러티브를 농락하면서, 그것을 가로지르는 "제3
의 대안적 노선"을 대변한다.[14] 지그재그로 사선을 따라 비스
듬하게 움직이는 그 길은 존재의 모드이자 모험이며, 결국엔
예술이다. 자유의 예술은 예측 불가능성을 낳는 극단적인 낮

---

13   Viktor Shklovskii, "Vstuplenie pervoe," in *Khod Konia*, Gelikon, pp.
      9~10. 영어본은 "First Preface," in *The Knight's Move*, trans. Richard
      Sheldon, Champaign, IL: Dalkey Archive Press, 2005, pp. 3~4.
14   시클롭스키는 소쉬르와 나보코프가 그랬듯이 체스게임을 향한
      애착을 보여준다. 소쉬르는 언어 체계를 체스판에 비유한 바
      있으며, 나보코프는 나이트의 형상을 첫번째 영어 소설 『세바스찬
      나이트의 진정한 인생*The Real Life of Sebastian Knight*』에서
      사용했다. 체스게임이 전제하는 규칙과 관례convention, 즉
      "예술의 부자유"는 역설적이게도 사고와 판단의 특정한 "해방"을
      제공한다.

설계하기의 미학적 행위들 속에서 실현되는바, 최종적으로 보임이 자유의 경험을 가져다 놓는 곳은, 주어진 선택지를 가로지르며 세계를 낯설게 만드는, 그래서 결국은 '형식적 기법'을 넘어선 '생존의 전략'이 되는 예술의 역량이다.

III. 오프모던 프로젝트: 오프모던 선언문과 거울

『또 다른 자유』를 출간한 이후부터 보임은 이제껏 자신이 발전시켜온 탐색의 줄기들을 하나로 통합하는 작업에 몰두하기 시작했다. 사망하기 직전까지 보임을 사로잡았던 마지막 프로젝트 "오프모던"이 그것이다. 하지만 늘 그렇듯이 개념 자체가 최초로 등장한 때는 그보다 훨씬 앞선다. 오프모던이라는 용어는 『노스탤지어의 미래』에도 이미 몇 차례 등장한 바 있다.

> 내가 오프모던이라 부르고자 하는, 노스탤지어를 포함한 근대적 조건에 관한 비판적 성찰의 전통이 실제로 존재한다. 부사 오프off가 우리의 방향 감각을 헷갈리게 만든다. 그것은 진보의 직선도로가 아니라 옆길이나 뒷길을 탐색하도록 만든다. [⋯] 오프모더니즘은 새로움을 향한 근대적 매혹 못지않게 근대적 전통의 재발명에도 비판을 제공한다. 오프모던의 전통 속에서 성찰과 갈망, 낯설게하기와 애착은 함께 간다.[15]

15   Svetlana Boym, *The Future of Nostalgia*, pp. 14~15.

143

2015년 보임의 갑작스런 사망으로 인해 오프모던을 둘러싼 말년의 작업들은 온전한 결실을 보지 못했다. 학과 동료였던 비교문학자 데이비드 댐로시 교수가 편집한 단행본 『오프모던』[16]이 2017년에야 사후 출간되었고, 이 책을 통해 비로소 생의 후반기 보임을 사로잡았던 문제의식의 전모를 확인할 수 있게 되었다. 하지만 그녀의 오프모던 프로젝트가 오로지 사후의 결과물로만 남게 된 것은 아니다. 생전에 보임은 오프모던과 직접 관련된 세 편의 중요한 글을 남겨놓았다.

첫번째는 본 번역서 『오프모던의 건축』이다. 2008년에 프린스턴 대학교 건축 출판부에서 포럼 프로젝트의 일환으로 출간된 이 얇고 특별한 책은 아방가르드 예술가 블라디미르 타틀린의 제3인터내셔널 기념비의 역사와 후생을 추적하는, 소책자 분량의 확장된 에세이다.[17] 끝내 건설되지 못한 러시아 아방가르드의 전설적인 기념탑은 이 책에서 근대성에 관한 보임의 대안적 계보학, 이른바 "제3의 길의 지성사"를 위한 초석으로 등장한다. 두번째 글은 『오프모던의 건축』의 맨 뒤에 부록처럼 붙어 있는 짧막한 글이다. 「오프모던 선언문」이라는 제목을 달고 있는 이 글을 통해 오프모던 개념

16   Svetlana Boym, *The Off-Modern*, Bloomsbury Publishing, 2017.
17   Svetlana Boym, *Architecture of the Off-Modern* (Forum Project Publications), Princeton Architectural Press, 2008.

의 특징과 개요를 명료하게 파악할 수 있다. 세번째 글은 이 선언문을 발전시켜 보임이 2010년에 잡지 『이플럭스』에 게 재했던 에세이 「오프모던 거울」이다. 이 에세이에서 우리는 보임이 이제껏 발전시켜온 탐색의 줄기들이 오프모던이라는 개념을 통해 하나로 통합되는 모습을 엿볼 수 있다. 첫번째 책을 온전히 이해하는 데 나머지 두 편의 글이 필수적인 예비 와 보완을 제공하기에, 우선 뒤의 글 두 편을 중심으로 살펴 보기로 하자.

"20세기는 미래주의적 유토피아와 끝없는 발전의 꿈으 로 시작해서 노스탤지어와 복원을 향한 탐색으로 끝났다"라 는 유명한 구절로 시작되는 에세이 「오프모던 거울」에서 보 임은 접두어 오프를 이렇게 소개하고 있다.

"포스트" "안티" "네오" "트랜스" 그리고 "서브" 같은 말들, 전진하거나 뒷걸음치거나 혹은 너머로 나아가려는 완강한 움직임을 제안하면서 필사적으로 "안"에 있으려 시도하는, 끝없이 교체되는 이런 접두어들 대신에 나는 비껴나go off 볼 것을 제안한다. 이를테면, "오프킬터kilter[어긋난]" "오 프브로드웨이" "오프 더 맵[존재하지 않는]" 혹은 "웨이 오프[완전히 빗나간]" "오프브랜드[무명의]" "오프 더 월 [별난]" 그리고 가끔은 "오프컬러[저속한]"처럼 말이다. "오프모던"은 근대적 기획의 탐구되지 못한 잠재성들을

145

향한 우회로다. 그것은 예측하지 못했던 과거들을 복구하고, 근대화와 발전의 주요한 철학적·경제적·기술적 내러티브들의 오차 범위 내에서 근대 역사의 옆 골목으로 발을 들여놓는다.[18]

보임에 따르면, "싱크가 나간 역사history out of synch"로 요약되는 이상한 동시대성의 상황 속에서, 그럼에도 불구하고 우리에게 주어진 '다른' 선택지는 존재한다. 결코 실현된 적이 없지만, 어쩌면 실현될 수도 있었을 가능성들을 되살리는 일, "만일 그랬다면what if"의 모더니티의 추론적 역사[19]를 다시 쓰는 일이다. 이를 위한 그녀의 제안은 "문자 그대로literally가 아니라 측면으로laterally" 나아가보는 것이다. 오프모던의 기획은 "이즘ism이 아니라 프리즘prism"이기에, 동시대적인 동시에 "엇박자off-beat"가 되어야만 한다.[20] 그럴 때야 비로소

---

18   스베틀라나 보임, 「오프모던 거울」 p. 347.
19   보임에게 "추론conjecture"의 방법론은 잃어버린 대안적
       노선(제3의 길), 가능태로서의 역사를 재구하기 위한 연상적
       방식을 의미한다. 이때 염두에 두는 것은 역사학자 카를로
       긴즈부르크의 "추론의 과학conjectural science"으로 탐정이나
       의사처럼 힌트와 흔적, 디테일과 제유의 방법을 통해 전체를
       재구하는 연상적 추론의 패러다임을 말한다. Carlo Ginzburg,
       "Morelli, Freud and Sherlock Holmes : Clues and Scientic Method,"
       History Workshop 9, Oxford University Press, 1980, pp. 5~36 참조.
20   스베틀라나 보임, 같은 글, pp. 348~349, 369.

현재 안에 깃들어 있는 틈과 균열, 공백 들을 탐색할 수 있기 때문이다.

모던이라는 용어는, 이전의 죽음, 노스탤지어, 자유가 그랬듯이, 너무나 범용적이 되어 거의 일상적 용법으로 굳어져버린 개념이다. 보임은 상투적 개념들에 새로운 조명을 비추어(그녀의 이름 Svetlana는 '빛'이라는 뜻이다) 새롭게 보이도록 만드는 비상한 재능을 지닌 연구자였다. 이때 신조어의 창안은 그와 같은 갱신을 위한 효과적인 방책 중 하나가 된다. "오프모던"은 비판적 근대성의 옆 골목을 탐색하고 그것의 측면적 잠재성들을 추적하기 위한 새로운 기획을 가리키는 보임의 신조어다.

생의 후반기에 보임을 사로잡았던 오프모던 프로젝트의 가장 두드러진 특징은 그것이 '기술'의 문제와 연동되어 있다는 점이다. 이제껏 그녀가 천착해온 주요한 토픽들, 망명과 이산, 노스탤지어와 낯설게하기, 일상과 아방가르드에 이르는 "모든 테마들은 지금 여기, 21세기의 테크노스피어 technosphere 속에서 재구성되면서 새로운 표현을 찾아내고 있다."[21] 예컨대, (문화적) "굴절적응exaptation"은 그녀가 미학의 옆 골목(동시대 생물학)에서 발견해낸 흥미로운 동지적 개념이다.

---

21   David Damrosch, "Preface," in Svetlana Boym, *The Off-Modern*, Bloomsbury Academic, 2017, p. xi.

"굴절적응"은 자연사에서 특이한 것들, 의외의 것들을 구제하는 방식이다. 본래 신체 온도를 조절하기 위해 채택되었다가 의도치 않게 다른 기능(비행)에 복무하게 된 깃털의 경우가 그에 해당한다. 일종의 "측면적 적응"의 사례에 해당하는 생물학적 진화의 이런 우연적 사행斜行은 "아버지에게서 아들로" 이어지는 직선이 아닌 "삼촌에게서 조카로" 이어지는 사선의 계승 관계를 주장했던 시클롭스키[22]를 떠올리게 하는 동시에 "20세기의 유명한 실패작" 하나를 자연스럽게 불러들인다. 타틀린의 발명품 레타틀린Letatlin이 그것이다.[23] 우주로켓이 고안되던 시기에 만들어진 아방가르드의 이 기

---

22   시클롭스키는 「플롯 저편의 문학」에서 모든 위대한 작가는
      직전의 위대한 작가를 잇고 있다는 암묵적인 공리를 거절하고
      가계도의 새 모델을 제시했다. "아버지에게 물려받은 아들이
      아니라 삼촌에게 물려받은 조카"라는 개념이 그것으로, 그는
      이런 '비스듬한' 계승 관계를 통해 문학적 혁신의 대안적 모델을
      상상했다. 이에 대해 보임은 "혁신이란 […] 자주 흉내 내기와
      계략의 비스듬한 움직임을 따르는바, 문화적으로 부적절하고
      잔여적이며 비예술적인 것으로 여겨지는 자질들을 대안적인
      구성 속에 투입함으로써 해석의 지평 자체를 바꿔버리는 식으로
      그것들을 재사용하곤 하는 것"이라고 말한다. 스베틀라나 보임,
      「오프모던 거울」, p. 350.
23   레타틀린은 타틀린이 모스크바 노보데비치 수도원에서 일할
      때(1929~31년) 구상했던 마지막 프로젝트다. 레타틀린은
      러시아어로 날다를 뜻하는 동사 "레타트letat"와 예술가의 가짜
      프랑스식 서명 이름인 "르Le-타틀린"을 교차시킨 언어유희를
      통해 만들어진 단어다.

148

이한 이카루스는 과학적 결정론과 기술적 기능주의를 초과하는 "오류"의 시학을 대변해준다.

보임은 저술과 창작에서 자신의 최고의 발견들이 실수나 오류로부터 생겨난 것처럼 연출하길 즐겼다. 흑백 카트리지가 다 떨어진 상태로, 인쇄가 채 완료되지 않은 사진들을 강제로 프린터에서 끄집어내면서, 그녀는 이것이 예측 불가능하고 반복 불가능하며 독특하게 비완결적인 결과물을 내어놓는 (시클롭스키의) '기사의 수'와 같다고 생각했다. 기술 미디어의 영역에서 시도되는 이런 '제3의 길'을 가리키는 보임의 용어가 바로 "향수 어린nostalgic 기술"이다. 본래 「오프모던 선언문」에서 그것은 "망가진 기술"로 명명된 바 있다.

컴퓨터 오류의 예술은 고급한 기술도 저급한 기술도 아니다. 오히려 그것은 "망가진 기술broken technology"이다. […] 예술의 새로운 기술은 망가진 기술이다. 혹은 우리는 그것을 고장난, 불규칙한, 향수 어린 것이라고 불러야 할까? 노스탤지어는 더 이상 존재하지 않는, 혹은 십중팔구 존재한 적이 없었던 집을 향한 갈망이다. 그런 존재하지 않는 집이란 마치 친근한 이웃이나 친척들처럼, 예술과 기술이 함께 거주하는 이상적인 코무날카와 비슷하다. 어쨌든 테크네techne라는 것은 한때 예술, 공작, 기술을 가리키는 말이었다. 예술과 기술은 공히 인간의 인공 보철물의 형식, 인간

149

적 공간을 상상적 혹은 물리적으로 연장시키는 잃어버린 수족 같은 것으로 상상되었다.[24]

예술의 새로운 기술로서의 "망가진 기술"이란 "잃어버린 수족"이고, "예술과 기술이 함께 거주하는 이상적인 코무날카"이며, "존재하지 않는 집," 결국 "노스탤지어"가 된다(여기서 그녀의 이전 테마들이 어떻게 재소환되어 반복되고 있는지 보라). 보임의 유희적 언어 감각은 여기서도 유감없이 발휘되는바, 이와 같은 "향수 어린 기술"의 과정은 "기술 혐오Luddite"가 아닌 "유희적인ludic 것"이며, "기술에로틱techno-errotic"한 프로젝트는 성애적erotic이기보다는 오히려 오류적erratic이다." 고대의 속담이 "오류를 범하는 게 인간적이다 ERRARE HUMANUN EST"라고 말한다면, 그녀는 거기에 이렇게 덧붙인다. "오류는 아우라를 갖는다An error has an aura."[25]

오직 기술에만 기초를 둔 뉴미디어와 달리, 오프모던 미디어는 인간적 오류에 둥지를 틀고 그것과 함께 춤을 춘다. 그 춤이 '오류'를 지나 의식적인 '오용'으로까지 나아갈 때, 디지털 장치의 픽셀화된 인터페이스는 성찰적인 표면, 곧 "검은 거울black mirror"로 변형된다. 보임은 커리어의 초반부터 학문적 활동과 나란히 창작을 추구해온 인물인데(그녀는 픽

24   스베틀라나 보임, 「오프모던 선언문」, p. 112.
25   스베틀라나 보임, 「오프모던 거울」, p. 357.

션 소설 『니노치카*Ninochka: A Novel*』〔2003〕와 희곡 『레닌을 쏜 여자*The Woman Who Shot Lenin*』〔1990〕를 발표했다), "검은 거울" 시리즈는 미디어 아티스트로서 그녀의 예술적 실천을 대표하는 프로젝트다.

이 프로젝트는 보임이 폐허가 된 산업 지역들(과거 공장 지대)을 기차를 타고 여행하면서, 차창 밖 풍경(건물이나 철길)이 자신의 노트북 스크린이나 블랙베리 휴대폰 화면에 투영된 이미지를 사진으로 찍은 시리즈를 가리킨다. 고대의 예술가, 마법사, 과학자가 사용했던 도구인 검은 거울은 "예술, 과학, 마법을 결합하는 테크네의 다른 역사"를 환기한다. 보임이 사용하는 블랙베리 휴대폰의 액정 화면이 멜랑콜리한 "검은 거울"이 될 때 그것은 현대 문화 속에 공존하는 근대와 전근대의 충돌하는 형식들을 성찰하는 그녀만의 특별한 '테크네'가 된다.

노트북 스크린과 휴대폰 화면에 비친 이미지를 찍을 때 보임은 종종 배경의 구름 이미지를 함께 담았다. 그녀는 이를 "구름들과 멀티태스킹하기Multitasking with Clouds"라는 재미있는 타이틀로 불렀는데, 실제로 이런 의도치 않은 우연한 겹침은 보임이 선호하던 방식이었다. 가령, (본 번역서의 맨 뒤에 실려 있는) ⟨나비와 함께 있는 레타틀린. 혼종적 유토피아 Letatlin with Butterfly, Hybrid Utopia⟩가 대표적이다.

언젠가 내가 퍼블릭 도메인에 있는 저 꿈 이미지들을 찍었을 때, 나는 전혀 비율에 맞지 않게 찍힌 레타틀린의 날개 위에 나보코프의 나비를 우연히 겹쳐 인쇄했다. 이것이 나만의 혼종적 유토피아의 시작이었다. [⋯] 소비에트 고등학교에서 우리는 혼종적 사회주의 생물학 프로젝트, 특히 이반 미추린을 공부했다. 그는 끊임없이 배와 사과, 포도, 그리고 달콤한 체리를 이종교배했다. 내가 아는 한 나는 이 혼종들을 맛본 적이 없지만 그럼에도 나는 그것들이 창조되는 과정을 사랑했다. 그래서 나는 내가 우연히 두 개의 서로 다른 유토피아를 교차 수정시켰음을 깨닫는다. 타틀린과 나보코프의 유토피아. 이것들은 중력의 힘을 부정하는, 추락 없이 나는, 그리고 불멸을 모방하는 꿈들이다.[26]

예술적 실천의 영역에서 보임은 프로가 아님을 부끄러워하지 않았다. "검은 거울" 프로젝트는 그것이 우연과 오용의 산물인 것만큼이나 "아마추어적인" 실험의 결과물이다. 그녀에 따르면, 아마추어 예술가들은 마치 "붕괴된 고향을 떠나온 이민자들"처럼 모든 악조건에도 불구하고 살아남으며, "종종 불법적으로 국경을 넘나들면서 [⋯] 예술의 공간을 재정복하려 시도한다."[27]

26   Svetlana Boym, *The Off-Modern*, p. 145.
27   스베틀라나 보임, 「오프모던 선언문」, p. 114.

기술과 연동된 문제의식과 더불어 오프모던 기획을 과거의 토픽들과 뚜렷이 구별하는 또 다른 특징을 꼽으라면, '공간적 확장'을 들 수 있다. 「오프모던 거울」에서 "엣지〔가장자리〕의 지리학Edgy Geography"이라 명명된 이 새로운 지리학은 흔히 생각하는 주변성marginality과 다르다. 오프모던주의자들은 주변적인 사람들이 아니라 날카로운 끝edge의 사람들이다. '가장자리'에 서 있는 그들은 결코 첨단cutting-edge이 아니지만 그렇다고 고립되어 있는 것도 아니다. 그들은 "민족적 경계들을 가로지르는 선택적 친연 관계selective affinities와 〔거기서 발생하는〕 이산적 친밀성"을 공유한다. 거기엔 엣지의 지리학의 대안적 연대를 가능케 하는 다른 종류의 '국제주의internationalism'가 작동하는바, "인도에서 아르헨티나, 헝가리에서 베네수엘라, 튀르키예에서 리투아니아, 캐나다에서 알바니아까지" 지구상의 어느 모퉁이로부터 온 온갖 종류의 기획들을 포괄한다.[28]

아마도 보임의 이 개념에 최초의 영감을 제공해준 장본

---

28   앞선 네 권의 책에서 자신의 이론적 논거를 뒷받침하기 위해
      주로 러시아 작가 및 예술가 들(특히 카바코프나 코마르와
      멜라미드 같은 개념주의 예술가들)을 활용했던 보임은
      오프모던 프로젝트에서는 지리적으로 훨씬 더 확장된 다양한
      예술적 실천들(인도의 락스 미디어 콜렉티브, 네덜란드의 렘
      콜하스, 알바니아의 에디 라마, 남아프리카의 윌리엄 켄트리지,
      콜롬비아의 안타나스 모쿠스 등등)을 포괄하면서 그들과의
      "선택적 친연 관계"에 입각한 다양한 협업을 진행한 바 있다.

인이 있다면 그것은 발터 벤야민일 것이다. 벤야민의 아포리즘 단상 중 하나인 「짧은 그림자들」에는 이런 구절이 나온다. "소리 없이, 부지불식간에, 그 자신의 거처, 자신의 비밀 속으로 물러갈 태세를 하고 있는, 사물들의 발끝에 걸린 **날카로운 검은 모서리**sharp black edges일 뿐이다."[29] 벤야민의 짧은 그림자, 저 "날카로운 검은 모서리"야말로 아마추어 예술가를 조절하는 문턱이다. 만일 지나치게 사물들에 가까이 다가간다면 그것들이 사라져버릴 테고, 반대로 너무 커지게 내버려둔다면 자신도 그림자들에 휩쓸려 들어가 즐기게 되어버린다. 짧은 그림자의 예술은 그림자가 하나도 없는 세계(본질주의)도, 너무 큰 그림자를 드리운 세계(음모론)도 믿지 않는다. 그것은 '표면'과 '가장자리'에 민감한 채로 머문다.

한편, 엣지의 지리학과 관련해 언급할 수 있는 또 다른 원천으로, 「오프모던 선언문」에서 보임이 말한 "또 다른 국제적 스타일"을 들 수 있다. "공통의 모더니티"가 만든 익명의 건물들, 이 특별한 스타일에 관해 보임은 이렇게 적었다.

이 또 다른 국제적 스타일은 소위 걸작들 속에서 기념되지 않는다. 대신에 그것은 바르샤바, 페테르부르크, 베를

29   발터 벤야민, 「짧은 그림자들」, 『일방통행로│사유이미지』, 김영옥·윤미애·최성만 옮김, 도서출판 길, 2007, p. 176. 〔강조는 인용자, 번역 일부 수정.〕

린, 사라예보, 브라티슬라바, 자그레브, 소피아의 외곽 지역에 자리한다. 내가 찍은 사진들 속에서조차 종종 서로 구분이 불가능한 이 건물들은 글로벌 문화의 철 지난 대중 장식mass ornament을 구성한다. 하지만 그것은 단지 첫인상일 뿐이다. 좀더 주의 깊게 살펴보면, 창문, 발코니, 흰 벽 어느 것 하나 똑같지 않다는 걸 알 수 있다. 이 익명의 주거지에서 살아간 사람들은 차이가 잘 드러나지 않는 미묘한 뉘앙스를 지닌 언어를 발전시켰다. 그들은 자신들의 일상적 삶의 단독적이며 반복되지 않는 장면들을 드러냈다.[30]

"민족적 경계들을 가로지르는 선택적 친연 관계와 이산적 친밀성"은 보편성을 내세우는 국적 미상의 걸작과도, 민족적·지역적 특수성을 내세우며 "외적인 복수성pluralism"에만 천착할 뿐인 다문화적 글로벌 상품과도 같지 않다. 엣지의 지리학은 이제 우리의 고대antiquity가 되어버린 모더니티의 유산과 폐허를 공유하는, 놀랄 만큼 닮았지만 여전히 특별한, 지구상의 온갖 모퉁이들을 관통하는 '또 다른 국제주의'에 기반한다.

보임은 우리가 "후기자본주의와 기술 혹은 디지털 발전의 공인된 문화적 신화들이 더 이상 우리를 위해 작동하지 않

30   스베틀라나 보임, 「오프모던 선언문」, p. 118.

155

는, 그런 시대의 끝자락edge"[31]에 살고 있을지도 모른다고 썼다. 그 모퉁이 너머에서 우리를 기다리고 있는 미래는 어떤 모습일까? 그 답은 알 수 없지만, 적어도 우리에게 필요한 것들이 무엇인지는 말할 수 있다. 보임에 따르면, "엣지함은 더 긴 지속 시간을 요구한다. 유행에 뒤떨어질 각오를 해야만 동시대적이 될 수 있다." 또한 "오프모던의 가장자리는 [⋯] 공간과 자원이 축소되고 리듬에 영원히 가속도가 붙는 세계 속에서, 인간이 그 모든 악조건에도 불구하고 자기 식대로 살아보기를 시도할 수 있는 넓은 여백이다."[32] 우리에게 필요한 것은 바로 그런 더 긴 지속 시간과 여백의 장소라고, 보임은 말하고 있다.

31   스베틀라나 보임, 「오프모던 거울」, p. 356.
32   같은 곳.

IV. 오프모던과 모험의 건축

1. 타틀린의 제3인터내셔널 기념비

오프모던을 주제로 한 두 편의 글을 통해 해당 신조어에 대한 대략적인 이해를 얻을 수 있었다면, 이제 본격적으로『오프모던의 건축』에 관해 살펴볼 차례다.『오프모던의 건축』은 오프모던의 사유를 아방가르드 건축과 본격적으로 연결시킨 흥미로운 사례다. 보임은 1장「모험의 건축과 오프모던」을 아래의 문단으로 시작하고 있다.

> 이 이상한 도시 경관을 보자. 상트페테르부르크 강변에 자리한 유서 깊은 페트로파블롭스키 요새의 첨탑이 인류 해방의 기념비 혹은 그저 타틀린 탑이라 알려져 있는 블라디미르 타틀린의 제3인터내셔널 기념비와 조화로운 앙상블을 이루고 있다. 이것은─상트페테르부르크, 페트로그라드, 레닌그라드〔로 불렸던〕─내 과거 고향의 결코 존재한 적 없는, 하지만 존재할 수도 있었을 모습대로의 풍경 사진이다.(p. 7)

이 도시 경관은 건축 예술가인 다케히코 나가쿠라Takehiko Nagakura가 만든 다큐멘터리 〈건설되지 않은 기념비들〉(1999)의 스틸이미지다. 친숙한 네바 강변에 요새를 배경으로 세워진 거대한 타틀린 탑의 형상. "결코 존재한 적 없는, 하지만 존재할 수도 있었을"이라는 구절에서 알 수 있듯이, 끝내 건설되지 못한 러시아 아방가르드의 신화적 건축물은 보임에 의해 "만일 그랬다면"의 역사를 다시 쓰는 일, 기술과 역사, 미학에 관한 "제3의 길"의 사유를 위한 시적인 모델로 등극한다.

보임은 "러시아 아방가르드의 아이콘 중 하나인 타틀린의 전설적인 기념탑의 건축적이고 철학적인 변모 과정을 탐구"하는 이 시도에서 이 탑이 "근대성에 관한 '제3의 길'의 지성사, 즉 나의 대안적 계보학을 위한 초석이 될 것"(p. 8)이라고 천명한다. 이런 대안적 계보학에 붙이는 명칭이 바로 "오프모던"이다.

그런데 왜 하필 건축(타틀린 탑)이어야만 할까? 아르케arche와 테크네techne가 결합된 단어 아키텍처에서 이미 확인되듯이 사유의 건립으로 표상되는 철학은 체계 중의 체계, 곧 원-구조achi-structure로서의 건축에 특권적 지위를 부여해왔다. '건축에의 의지'는 서구 철학의 원동력인바, '건축적 은유'는 그것의 전 역사를 압도해온 수사법이다. 보임은 "지그프리트 크라카우어, 발터 벤야민, 한나 아렌트, 게오르크 짐멜,

프란츠 카프카의 저작들에는 근대성에 관한 철학적 담론 속에 건축적 형상들이 스며들어 있다"(p. 8)고 지적하면서, 곧이어 바타유를 언급한다. "초현실주의 이단자이자 신화 기술자였던 조르주 바타유는 "반-건축"의 입장에 섰다. 바타유는 〔…〕 무기력한 현대 세계에서 이제는 보이지 않게 된, 도살장과 같은 유사-신비적 폭력의 공간을 더 선호했다."(p. 9) 건축을 사회적 질서와 위계를 구축하고 수호하는 동일성의 표현, 말하자면 "사회적 존재 그 자체의 표현"으로 간주했던 바타유에게 건축은 문명적 악덕의 화신이었다. 그는 이른바 "분변학"과 "도살장"의 전략을 통해 그것을 쓸어버릴 것을 주장했다.[33] 건축을 향한 보임의 관심은 바타유식의 이런 "이교적 모더니즘의 열정"을 공유하면서도 그와는 정반대의 방향을 따른다. 그녀의 입장은 세계를 마스터 디자인하는 단 한 명의 건축가라는 데카르트의 토대주의와도, 그 토대를 해체하려는 데리다의 급진적인 반-토대주의와도 구별되지만, 바타유식의 반-건축과도 분명하게 차별화된다. 그녀가 "관심을 갖는 것은 반anti-건축이 아니라 탈off-건축이다."(p. 15)

보임에 따르면, 건축은 단지 구조와 체계에 머물지 않는다. 그것은 "세계에 질감을 부여하는 포에시스poesis의 형식"이 될 잠재력을 갖고 있다. 후자의 역량은 건축이라는 단어를

33   드니 올리에, 『반건축反建築: 조르주 바타유의 사상과 글쓰기』, 배영달·강혁 옮김, 열화당, 2022, pp. 157, 199.

구성하는 뒷부분의 어근인 "테크네"로 소급된다. 잘 알려져 있듯이, 테크네는 기예를 넘어 (시와 농사를 아우르는) '짓기'의 행위 일반을 가리킨다. 테크네로서의 건축은 단지 위계를 구체화하는 상징적 형식이 아니라 인간의 노동과 수완을 기리고 세계 문화의 창조에 기여하는 "만듦의 형식"이 될 수 있다. 그것은 체계를 세우는 일보다는 오히려 기획과 모험으로서의 삶과 예술에 관한 것이다. 보임이 게오르크 짐멜의 "모험의 현상학" 개념에 기대어 오프모던의 건축을 "모험의 건축"으로 규정하는 이유가 여기에 있다.[34]

짐멜에 따르면, "모험은 단순하고 돌발적인 사건과도, 일관된 삶의 연속성과도 아무런 관련이 없는 제3의 세계"이다. "우리 존재 안에 있는 이물질"에 해당하는 그것은 전형적인 '경계'의 현상으로서, 마치 "뫼비우스의 띠"처럼 내재성과 초월성의 평면에 걸쳐 있다. 모험은 경계들의 문지방 너머로 삶을 밀어붙이지만 그 '너머'는 결코 이-세계성의 너머가 아니다. 마찬가지로 모험의 건축은 "숭고의 경험보다는 한계의 경험에 관한 것," 그렇기에 "초월"이나 "위반"보다는 "계산 불가능한 것과의 마주침"에 해당한다. 베버식 "탈주술화"에 대한 응답으로서 "재-주술화 re-enchantment"를 약속하는 모험(의 건축)은 황홀경이 아닌 일종의 "범속한 각성profane

---

34   게오르그 짐멜, 「모험가」, 『짐멜의 모더니티 읽기』, 김덕영·윤미애 옮김, 새물결, 2005, pp. 203~25.

illumination"이며, 그렇기에 "인간의 가능성들을 밀어붙이지만 그것을 넘어서지는 않는다."(p. 13)[35]

요컨대, 여기서 제3인터내셔널 기념비는 "건설의 기술적 가능성이 아니라, [⋯] 가능성의 건축이라 불릴 법한 새로운 차원을 여는 하나의 모델이자 기획"(p. 66)을 대변한다. 그리고 바로 그 점에서 오프모던 개념을 대표하는 적절한 예시가 될 수 있다. "타틀린의 기념탑은 연극적 파편으로서, 종이 건축의 미완성 모델로서, 미래의 폐허를 닮은 유토피아적 비계로서"(p. 31) 태어났으며, 그렇기에 "결코 실현된 적이 없는 현대 건축의 추론적conjectural 역사를 꿈꾸게"(p. 7) 해줄 안내자가 될 수 있다.

그런데 사실 제3인터내셔널 기념비는 건축, 철학, 예술을 둘러싼 이런 일반론을 훨씬 상회하는 몇 가지 구체적이고 직접적인 이점을 지닌다. 우선, 타틀린의 기념비는 오프모던

35 여기서 짐멜의 모험가의 형상이 벤야민의 개념("범속한 각성")으로 이어지는 것은 우연이 아니다. 짐멜에 따르면, 모험은 "재빠르게 기회를 움켜쥐는" "정복자"의 자세와 더불어 "우리를 행복하게 할 수도 있지만 또한 단숨에 파괴할 수도 있는 세계의 위력과 우연에 완전히 자신을 완전히 맡겨버리는"(p. 12) 태도, 곧 "도박꾼"의 자질을 지닌다. 벤야민은 보들레르에 관한 잘 알려진 에세이에서 자동기계 앞에서 반사적인 행동을 반복하는 공장 노동자의 모습을 바로 이 '도박(꾼)'의 형상에 비유한 바 있다. 모험가와 도박꾼의 공통점인 "맥락으로부터의 단절"과 "경험의 질서를 무효화시키는" 절대적인 "현재성"은 (역설적으로) 그 질서를 내파할 수 있는 잠재적 역량이 될 수 있다.

기획의 핵심에 해당하는 '기술'과 연동된 예술의 문제를 사고할 때 언제나 거론되는 대표적 사례에 해당한다. 철과 유리로 된 건물의 재료뿐 아니라 그것의 '공학적인' 구조 자체가 이를 뒷받침한다. 그것은 부동의 건물이 아니라 일종의 '움직이는 기계'로서 설계되었던 것이다. 탑을 구성하는 내부의 세 가지 몸체는 각기 다른 속도로 돌도록 되어 있었다. "세계인민위원회가 자리할 [하부의] 정육면체는 일 년에 한 번, 제3인터내셔널 수뇌부와 행정위원회를 위한 [중간의] 피라미드는 한 달에 한 번, 정보 및 선전 본부가 될 [상부의] 원기둥은 매일 한 차례씩 회전하게 될 것이다."(p. 20)[36]

36   말레비치와 달리 예술적 구상을 개념적 언어로 옮기는 데 서툴렀던 타틀린은 동시대 구축주의 이론가 니콜라이 푸닌을 일종의 대변인으로 내세웠다. 타틀린과의 대화에 기초해 푸닌은 1919년 여름에 「기념비들에 관하여」를 발표했는데, 그에 따르면 제3인터내셔널 기념비는 전 세계적 규모의 자체 라디오 수신국과 전보국, 실시간 송수신이 가능한 여러 정보 기구들을 갖춘, 현대적 의미에서의 '종합미디어센터'에 가까웠다(백남준의 설치 작품 〈다다익선〉(1988)은 애초에 타틀린의 기념탑을 염두에 두었던 것으로 알려져 있는데, 이는 후자의 선구적인 미디어적 구상과 무관하지 않을 것이다). 건물 내부의 몸체에는 사무실, 스포츠 홀, 선전실 등 다목적으로 사용 가능한 다수의 방들이 자리하며, 지붕 한쪽에는 거대한 스크린이 장착되어 일몰 이후 아주 먼 곳에서도 그곳에서 상영되는 문화 뉴스나 전 세계의 정치적 삶을 관람할 수 있게 되어 있었다. 그런가 하면 꼭대기 부분에는 프로젝터가 달려 있는데, 매일의 슬로건을 빛으로 된 글자로 만들어 구름을 향해 쏘도록 되어 있었다. 그 밖에도 새로운 예술 발명실, 타이포그래피실, 식당 등 수많은 센터들이 자리했고, 탑의 마크를

보임도 지적하듯이, 이런 식의 건물의 작동은 천체 궤도의 운행, 즉 '반복과 회전rotation'을 가리키는 혁명의 어원적 의미를 구체화한 것이다. 우주론과의 명백한 연결고리는, 가령 탑의 높이인 400미터가 지구 자오선의 배수이며 구조물의 경사가 지구 자전축의 기울기와 일치한다는 점에서도 드러난다. 기울어진 구조와 나선 형태("최적의 마르크스-헤겔적 형태")로 열린 상부는 건물의 몸체를 중력을 거스르며 대지로부터 밀어 올리는 역동적인 에너지를 낳는다. 제3인터내셔널 기념비는 일찍이 (그의 친구) 벨리미르 흘레브니코프가 말했던, 인간 활동과 지구, 태양, 달의 운행 사이의 상호 관계라는 예언적 가르침을 물리적으로 구현한 것에 해당했다.[37]

공학적 설계가 우주론적 차원과 조응하는 이런 양가적인 이중성은 애초 탑을 부르는 명칭에서부터 드러났다. 타틀린은 제3인터내셔널 기념비가 "순전히 예술적인 형식을 공리적인 목적들과 결합"한 결과라고 말했는데, 이 특별한 사물은 미학과 실용의 결합을 표현하는 두 가지 이름을 갖고 있

부착한 똑같은 오토바이와 자동차 들이 선전 업무를 위해 출동 대기하는 자체 주차장을 갖추고 있었다.

37　타틀린은 20대 초반에 러시아 미래주의의 대부였던 시인 흘레브니코프를 만난 이래로 평생 동안 친교를 유지했다. 타틀린에게 예술가의 기준점 역할을 했던 흘레브니코프가 1922년에 갑자기 사망하자 그를 추모하는 의미로 난해한 초이성어(자움)로 작성된 그의 서사시 『장게지Zangezi』를 연극으로 만들어 무대에 올리기도 했다.

었다. 1919년 작업을 시작할 때 "제3인터내셔널 기념비"라는 이데올로기적인 냄새가 듬뿍 묻어나는 기능적인 이름은 타틀린에게 일차적인 선택지가 아니었다. 기념비와 함께 훨씬 자주 사용되던, 보다 낭만적인 (그런 점에서 신화적 선조인 바벨탑을 연상시키는) 비공식적 이름은 '타틀린 탑Tatlinova Bashnya'이었다.

그런데 진정으로 흥미로운 지점은 따로 있다. 기념탑을 완성한 이후 타틀린이 테크네, 즉 "기예technique의 이슈를 예술과 기술technology 사이의 세번째 항으로 생각했다는 사실이다."(p. 31) 이것도 아니고 저것도 아닌, 그렇기에 양자 모두를 낯설게 만드는 예상 밖의 세번째 (옆)길을 택하는 오프모던 특유의 전략은, 타틀린 최후의 프로젝트 레타틀린에서 가장 극단적인 방식으로 표출되었다.

회화, 조각, 건축으로 이어지는 타틀린의 전 작업을 관통하는 본질적인 특징으로 "유기적 형식"을 꼽는 율리야 바인구르트에 따르면, 타틀린의 기술-아트의 특수성은 "유기성의 원칙"에 기초하고 있다."[38] 명백하게 자연적 본질에 귀속되는 유연성을 반영하고 있는 "휘어진 선krivaya liniya"의 형

38   Юлия Вайнгурт, "Владимир Татлин: культура материала," Формальный метод: Антология русского модернизма. Том III. Технологии / Под ред. С. А. Ушакина, Екатеринбург; Москва: Кабинетный ученый, 2016, с. 857.

태는 초창기 회화와 부조를 특징짓는 유영하는 아치에서부터 레타틀린의 날개 디자인에 이르기까지 변함없이 유지된다. 그녀에 따르면, 타틀린 탑의 조직화 원리였던 나선형 구조 또한 그로부터 벗어나지 않는다. 직선의 유용성을 지향하는 기술자-구축주의자라는 통념적 이미지[39]와 달리 타틀린은 미학적으로 생산적인 곡선, 만든 이의 손을 기억하는 "휘어진 선"을 줄곧 내세웠다.

신화적 형상 이카루스를 연상케 하는 기묘한 현대의 발명품 레타틀린을 두고, 기계의 움직임이 신체를 조절하는 한편 비행사의 몸이 기계의 도움을 받아 새로운 가능성을 개시하는, 그럼으로써 인간 신체와 기계 장치가 자연스럽게 뒤섞이는 '포스트휴먼적' 전망을 떠올리는 일은 가능할 것이다.[40]

| 39 | 보임이 지적하듯이, '기계 예술가' 타틀린의 신화는 본국보다는 해외, 특히 독일(다다이스트들 사이)에서 만들어진 것이다. 특히 1920년 베를린 아트 페어에서 하트필드와 그로스가 내건 슬로건("예술은 죽었다. 타틀린의 기계 예술 만세")과 기계 뇌를 장착한 타틀린의 작업실을 묘사한 다다 예술가 라울 하우스만의 그림(《타틀린은 집에 산다Tatlin at Home》)이 결정적이었다. 해외의 열광적인 반응은 러시아 아방가르드에 대한 서구의 흔한 오해를 반영하는바, 타틀린은 그들이 내건 슬로건처럼 "기계의 도움을 받은 예술적 자살의 옹호자"였던 적이 단 한 번도 없다. |
| 40 | 타틀린은 레타틀린을 단지 자연의 유기적 형식을 모방한 재현으로 생각하지 않았다. 그는 이 기구가 생물학적 진화를 거치는 동안 소실된 인간의 비행 능력을 되돌려 줄 것이라고 주장했다. "나는 이 기구가 사람을 공중에 떠 있게 할 수 있다고 믿는다. 우리는 물에서 수영하는 법과 자전거를 타는 법을 배우듯이, 기구로 공중을 나는 |

혹은 보다 넓은 의미에서 살아 있는 유기체의 미학을 지향하는 '생태학적' 전망을 언급할 수도 있을지도 모른다.[41] 하지만 그것들에 앞서 반드시 강조할 것은, 제3인터내셔널 기념비와 레타틀린이 공유하고 있는 중대한 특징이다. 둘 모두는 애초부터 완벽한 현실화가 불가능하게 만들어진 불구의 창조물이다. 창조자의 의도에 따르면 매우 유용하지만, 실제로는 거의 기능하지 못하는 이 창조물들의 '영구한 비완결성'은 그것에 부여된 유토피아적 성격의 이면裏面처럼 보인다. 마치 커다란 의문부호처럼 보이는 레타틀린의 '휘어진 아치'는 "물리적-기술적 진보의 길을 향한 결단력 있는 걸음보다는 오히려 지적인 유희에 더 어울리는 기념비의 가설적 측

법을 배워야 한다." В. Татлин, "Искусство и технику," c. 15. Christian Lodder, *Russian Constructivism*, Yale University Press, 1985, p. 215에서 재인용.

41   타틀린에 따르면 그것은 "서구와 미국의 물건들과 근본적으로 다른 독창적인 사물"을 생산하기 위해 필요했던바, 그는 "우리 삶의 방식은 전혀 다른 원칙, […] 건강하고 자연스러운 원칙 위에 세워져 있고 서구의 사물은 우리를 만족시킬 수 없기 때문에 나는 새로운 사물의 창조를 위한 출발점으로서의 유기적 형태에 큰 관심을 둔다"고 썼다. […] 나아가 레타틀린은 친환경적이기까지 했는데, 타틀린은 "이 비행 자전거는 도시의 교통(체증), 소음, 인구 과밀을 해소할 것이며 휘발유 매연을 씻어낼 것이다"라고 썼다." В. Татлин, 같은 글, c. 16. Susan Buck-Morss, *Dreamworld and Catastrophe: The Passing of Mass Utopia in East and West*, Cambridge, MA : MIT Press, 2000, p. 123에서 재인용.

면과 공명한다."[42] 타틀린의 슬로건인 '삶 속으로 들어간 예술'이나 '기술 속으로 들어간 예술'은 결코 "삶이나 기술을 위해 봉사하는 예술이나 정치적·사회적 혁명에 봉사하는 삶을 제안하는 것"이 아니다. 그것은 "종이 건축의 미완성 모델로서, 미래의 폐허를 닮은 유토피아적 비계로서 태어났다." (p. 31)

오프모던의 실례로서 제3인터내셔널 기념비가 가지는 이점은 이에 그치지 않는다. 또 다른 이점은 노스탤지어의 관점에서 그것에 접근할 때 드러난다. 타틀린 탑의 '전생'과 '후생'을 다루는 책의 초반부(1, 2장)는 보임의 저명한 유형학을 보여주는 실례로서 읽힐 수 있다. 타틀린 기념탑의 건축적 모험은 복원적 노스탤지어와 성찰적 노스탤지어라는 두 가지 방향을 따라 전개되었던바, 전자가 "제3인터내셔널의 꿈을 대체할 수 있는 궁극의 건물인 소비에트 궁전 건설" 프로젝트로 이어졌다면, 후자는 예술적 신화로서의 두번째 삶 속에서 "20세기 예술의 비순응적nonconformist 전통의 환각지가 되어 종이 건축, 개념주의 설치, 도시 민담 등에서 출몰하게 되었다."(p. 79)

복원적 노스탤지어의 사례에 해당하는 전자의 이야기는 비교적 잘 알려져 있다. 스탈린에 의해 추진된 소비에트 궁전

---

42   Юлия Вайнгурт, 같은 글, c. 869.

건설은 모스크바 중심부에 위치한 구세주 성당을 허물고 그 자리에 "승리한 무신론의 성지"를 건립하려는 프로젝트였다. 프랑스 건축가 르 코르뷔지에도 참여했던 대규모 국제 공모를 거쳐 1939년에 착공이 시작되었는데, 책임 건축가 이오판은 "자유의 여신상과 엠파이어스테이트 빌딩을 향한 소비에트식 응답"에 해당하는 416미터 높이의 이 과대망상적인 제국 스타일 기념비의 꼭대기에 무게 6000톤에 달하는 레닌 동상을 세울 계획이었다.[43] 제2차 세계대전이 발발하면서 이 거대한 망상은 자연스럽게 무산됐지만 그게 끝은 아니었다. 폐허로 남겨졌던 기초공사의 흔적(거대한 '구덩이')에는 전후에 야외 수영장이 만들어졌고, 소비에트 시기 내내 시민들의 휴식처로 기능했다.

1991년 소비에트가 해체되고, 옐친에 이어 푸틴이 집권하자 당시 모스크바 시장 루슈코프는 수영장이 있던 자리에 지하주차장과 파티 홀을 갖춘 구세주 성당을 '본래 모습 그대로' 재건하기로 결정했다. 1999년 구세주 성당의 (재)건립과 함께 공공연한 반소비에트주의와 러시아 민족주의가 뒤섞인

---

43   수전 벅-모스는 근대를 대변하는 두 개의 체제(소비에트와 미합중국)가 만들어낸 두 개의 꿈 이미지, 즉 대중 스펙터클에 기초한 상호 보완적인 욕망의 경제로서 소비에트 궁전 꼭대기에 세워진 "레닌 동상"과 엠파이어스테이트 빌딩 꼭대기에 매달린 "킹콩 이미지"를 병치시켜 고찰한 바 있다. Susan Buck-Morss, 같은 책, pp. 174~80.

과거가 보란 듯이 귀환했다. 제정 러시아에서 소비에트, 다시 포스트소비에트로 이어지는 이 모든 변천의 과정들은 건축이야말로 가장 근사한 역사의 일러스트레이션이라는 사실을 다시금 확인시켜준다.[44]

한편, 전자에 비해 훨씬 덜 알려진 후자의 차원, '예술적 신화'로서의 [타틀린 탑의] 후생 이야기는 이 책의 후반부를 장식하는 핵심 토픽이 된다. "타틀린의 기념탑은 20세기 예술적 신화이자 전후戰後의 비공식 예술을 위한 영감이 되었다. 후자가 향수를 느낀 대상은 혁명 자체가 아니라 혁명적 상상력의 담대함이었다."(p. 43) 타틀린 탑은 1960년대 이후 세계 곳곳에 건설된 수많은 모델들을 통해 두번째 생을 획득[45]했을

44 (포스트)소비에트 시기 기념비의 해체와 건립을 둘러싼 '기억의 정치학'에 관한 상세한 내용은 다음을 참조하라. 이지연, 「포스트소비에트 문화정체성과 새로운 모스크바 공간의 탄생」, 『러시아연구』 19권 1호, 2009, pp. 225~46: 김민아, 「공통의 장소로서의 기념비」, 『노어노문학』, 32권 4호, 2020, pp. 269~97.

45 제3인터내셔널 기념비의 재건 시도는 20세기 중반 이후 꾸준히 이어졌다. 새로운 연구 결과를 바탕으로 극히 미세한 디테일에 이르기까지 20세기 건축적 판타지의 대명사를 완벽하게 복원해보려는 전 세계 예술가 및 건축가 들의 욕망을 불러일으킨 것은, 어쩌면 이 건축 프로젝트 자체의 잡히지 않는 현존, 그것의 원칙적인 비완결성이었다. 타틀린은 탑의 건축공학적 실현 가능성과 관련해 엔지니어와 상의한 적이 없으며 오로지 자신의 예술적 비전에만 의거했다. 그는 체계적인 설계도 자체를 남기지 않았던 것이다. 기념비 복원의 시도는 대략 두 가지 유형으로 나뉠 수 있는데, 1968년 스톡홀름 전시와 1979년

뿐만 아니라 종이 건축과 개념주의 설치라는, 20세기 중반 이후 소비에트 예술사의 독특한 흐름 속에서 끝없이 환기되어 (재)작동하는, 불멸의 유령 같은 두번째 실존을 얻게 되었다.

그런데 "모스크바 개념주의"로 통칭될 수 있는 타틀린의 후예들의 작업(5장)을 논하기에 앞서 보임이 동원하고 있는 두 명의 동시대인에 관해 먼저 살펴볼 필요가 있다. 시클롭스키와 에이젠슈테인이 그들이다. 이들이 특정 시기에 보여주었던 관심과 입장은 각자의 고유 영토에서 타틀린과 비견될 만한 오프모던적 행보를 드러낸다.

2. 시클롭스키의 자유의 기념비와 에이젠슈테인의 현수 건축

3장 「낯설게하기와 자유의 커브」에서 보임은 자유의 여신상의 소비에트 버전에 해당하는 아주 특별한 기념비 하나를 소개한다.

> 파리 퐁피두 전시 때의 원형 복원 작업이 첫번째라면, 두번째는
> 애초의 구상대로 기념비를 거대 도시의 건축적 앙상블 속에
> 자리매김하려는 '시각적' 복원의 시도다. 보임이 첫 페이지에서
> 언급하고 있는 다케히코 나가쿠라의 다큐멘터리 〈건설되지
> 않은 기념비들〉(1999)에서는 상트페테르부르크의 네바 강변에,
> 마이클 크레그Michael Craig의 다큐멘터리 〈러시아 건축
> 아방가르드〉(2003)에서는 모스크바 중심가 한가운데에 컴퓨터
> 그래픽을 통해 복원되었다.

170

니콜라이 역 근처에 묘비석 하나가 있다. 점토로 된 말이 점토 주군을 태운 채로 다리를 벌리고 서 있다… 그것은 사면에 박힌 기다란 철 장대와 "자유의 기념비"를 위한 나무 판자로 만든 임시 파수막으로 둘러싸여 있다. 총을 든 경찰들이 거리의 담배팔이 소년들을 영혼의 안식처인 소년원으로 보내려고 체포하려 할 때면, 소년들은 흩어지면서 능숙하게 휘파람을 불고, 꺼지라고 외치면서 "자유의 기념비" 쪽으로 달려간다.

그런 후에 소년들은 바로 그 이상한 장소에 몸을 피하는 것이다—차르와 혁명 사이의 나무판자 아래 그 텅 빈 공간에서.[46]

시클롭스키가 『기사 말의 행보』에서 묘사하고 있는 이 기념비는 1917년 혁명 직전에 보스타니예 광장에 건립된 알렉산드르 3세 동상이다. 혁명 후 1년이 지난 1918년에 이 철 지난 제국의 동상을 대신할 소비에트판 "자유의 기념비" 건립이

---

[46] Viktor Shklovsky, *Khod konia: sbornik statei*, Moscow and Berlin, Gelikon, 1923, pp. 196~97. 영어본은 *The Knight's Move*, Richard Sheldon(trans.), Dalkey Archive Press, 2005, pp. 126~27. 본서 p. 51에서 재인용.

결정되었다. 그에 따라 임시로 나무판자를 둘러쳐 동상을 가려놓았는데, 가림판 위에는 자유, 예술, 혁명을 기념하는 온갖 슬로건이 뒤덮여 있었다. 이 기념비 아닌 기념비의 의미심장함은 어디에 있을까? 그것의 일시적이고 유희적인 성격, "차르의 기념비는 아직 완전히 파괴되지 않았고 자유의 기념비는 건설이 완결되지 않"은 상태라는 복합적인 시간성에 있다. 잠시나마 이중의 시간대(혁명 이전과 이후)가 '공존'하는 예외적인 사태로서의 기념비. 주목할 것은 이 기념비의 '내부'에 '텅 빈' 틈새 공간이 존재한다는 사실이다. 공적 공간의 내부에 숨겨진 이 특별한 공간은 거리의 아이들을 위한 은신처가 된다.

> 이 묘사에서 기념비는 내부를 얻게 되는데, 즉 공적 공간이 피신처가 되는 것이다. 시클롭스키는 자신의 관점을 "차르와 혁명 사이에" 숨는 거리의 아이들〔페트로그라드의 가브로슈들〕의 위험한 게임과 동일시하면서 제3의 길, 일시적이고 유희적인 자유의 건축을 위한 길을 찾고 있다. (p. 52)

요컨대, '건설'과 '폐허'를 한 몸에 지닌 이 특별한 기념비는 차르와 혁명, 다시 말해 과거와 미래를 동시에 낯설게 만든다. 이런 '이중의 소격'은 훗날 벤야민이 말하게 될 "정지의 변증법dialectic at a standstill," "하나의 단자monad로 결정(화)된" 저 응결된 시간성을 떠올리게 한다.[47] "소비에트 최초의 자유의 동상은 폐허인 동시에 건설 현장이었다. 즉 그것은 러시아 역사의 다양한 버전이 공존하며 부딪히는, 과거와 미래 사이의 틈새를 점유했던 것이다."(p. 52)

이 지점에서 보임은 일찍이 문학이론가 시클롭스키가 창안했던 "오스트라네니예ostranenie," "낯설게하기"라는 유명한 개념을 예술적 기법을 넘어서는 "자유의 형식"으로서 재규정한다. 낯설게하기는 "삶과 예술을 결과물이 아니라 계속되는 기획으로서 사유하는 일"에 관한 것으로, 이분화된 선택지 사이에서 제3의 길을 찾으려 했던 한나 아렌트의 시도에 대응될 수 있다. 서구에서의 자유의 이념의 계보학을 추적하면서 아렌트는 그 이념의 기원을 개인 심리의 내적 성채나 국가의 정치학이 아닌 제3의 장소, 즉 폴리스의 공적 공간

47   "사유思惟에는 생각들의 흐름만이 아니라 생각들의 정지도
      포함된다. 사유는, 그것이 긴장으로 가득 찬 상황〔성좌星座,
      Konstellation〕속에서 갑자기 정지하는 바로 그 순간에 그 상황에
      충격을 가하게 되고, 또 이를 통해 그 상황은 하나의 단자單子,
      Monade로 결정結晶된다. 역사적 유물론자는 역사적 대상에
      다가가되, 그가 그 대상을 단자로 맞닥뜨리는 곳에서만 다가간다.
      이러한 단자의 구조 속에서 그는 사건의 메시아적 정지의 표지,
      달리 말해 억압받은 과거를 위한 투쟁에서 나타나는 혁명적
      기회의 신호를 인식한다." 발터 벤야민, 「역사의 개념에 대하여」,
      『역사의 개념에 대하여ㅣ폭력비판을 위하여ㅣ초현실주의 외』,
      최성만 옮김, 도서출판 길, 2008, p. 348.

173

에서 발견했다.[48] 아렌트의 사례는 "주권적인 것sovereign이 아니라 다공적porous이고 개방적인" 자유의 편, 보임이 제안하는 또 다른 유형학에 따르면 "세계로부터의from the world 자유"가 아니라 "세계를 위한for the world 자유"의 편을 대변한다. 그리고 바로 그 점에서 시클롭스키의 "자유의 건축"과 나란히 선다.[49]

48 알려진 것처럼, 아렌트에게 자유란 "공적 영역" 속에서 언어적
    소통을 통해 타자들과 관계 맺으며 자신을 현시하는 "행위"를
    통해서만 가능해지는 것이다. 사적인 필요와 결부된 '노동'과
    '작업'이 아니라 '행위'(혹은 '활동')가 자유의 개념에 직결되는
    것은 그 때문이다. 행위는 공적 영역과 제도, 역사적 기억이라는
    공통의 닻anchor 없이는 존재할 수 없는바, 그런 점에서 자유의
    행위는 공적 무대 위에서 행해지는 연행performance과 유사하다.
    연행이 그렇듯이, 자유의 행위는 문화적 형식과 정치적 제도에
    의존하지만, 결코 그것들에 의해 온전히 제한되지 않는다.
    연행은 공통의 언어뿐 아니라 일정 수준의 계산 불가능성,
    행운, 기회, 희망, 놀라움 그리고 경외감을 요구하는바, 보임에
    따르면, 아렌트의 (정치적) 자유 개념의 이런 '미학적' 차원은
    시클롭스키의 (미학적) 개념(낯설게하기)의 '정치적' 차원에
    상응한다.

49 보임은 2005년에 두 사람을 함께 다룬 별도의 논문을 발표한 바
    있다. Svetlana Boym, "Poetics and Politics of Estrangement: Victor
    Shklovsky and Hannah Arendt," *Poetics Today*, 26:4, Winter 2005,
    pp. 581~611. 이 논문에서 보임은 낯설게하기 개념을 아렌트의
    '거리' '자유' '악의 평범성'에 대한 숙고와 겹쳐 읽으면서, 실제로
    만난 적은 단 한 번도 없지만 어쩌면 "1920년대 베를린의 어느
    전차에서 서로를 스쳐 지나갔을지도 모를" 두 사람 간의 "상상
    속의 대화"를 시도했다. 이 논문에 처음 등장하는 낯설게하기의
    유형학(세계로부터의from 낯설게하기 vs 세계를 새롭게 만들기

시클롭스키와 아렌트에게 자유의 건축이란 언제나 완결 불가능성과 실험의 공간을 뜻한다. 후자는 문화적 형식과 제도들에 의존하지만, 결코 그것들에 의해 온전히 제한되지 않는다. 자유는 공동-창조의 기획이지 완결된 결과물이나 두드러지게 일관된 논리적 사유 체계가 아니다. 바로 이 점이 그것을 오프모던 시학에 가깝게 가져다 놓는다. (p. 65)

이처럼 제3인터내셔널 기념비를 바라보는 보임의 관점은 "수십 년간 많은 건축가들이 골몰했던 주제인 건설의 기술적 가능성"을 향해 있지 않다. 그녀의 관심은 "간매체적이고 과도기적인 건축, 가능성의 건축이라 불릴 법한 새로운 차원을 여는 하나의 모델이자 기획으로서 그 탑을 둘러싼 실제 역사를 생각해보는" 것이다. 그 탑은 "실용적인 청사진이 아니라 가능성과 영감 들의 도가니"(p. 66)이자 "색다른off-beat 상상력의 실험실"인바, 보임이 "프로젝트의 시학poetics of project"이라고 부르는 실험적 차원이 흥미롭게 드러난 또 하나의 사례가 존재한다. "타틀린의 기념비에 대한 가장 충격적인 평가" 중 하나인 에이젠슈테인의 경우가 그것이다.

위한for 낯설게하기)은 이후 『또 다른 자유』(2010)에서 더욱 폭넓게 다뤄지게 된다.

건축가의 아들이었던 영화감독 에이젠슈테인과 타틀린의 예기치 않은 연결은 1930년대 초반에 이루어졌다. 서구 영화의 사운드 기술을 시찰한다는 명목으로 1929년 해외 출장을 떠났던 에이젠슈테인이 1932년 5월 스탈린의 즉각 귀환 명령을 받고 황급히 귀국했을 때, 소비에트의 정치적 환경은 확연히 달라져 있었다. 소위 "사회주의 리얼리즘" 독트린이 발표되기 2년 전으로, 혁명 영화의 아버지는 (그 시절 많은 동료 아방가르드 예술가가 그랬듯이) 석화石化되어가는 유토피아의 현실 앞에서 더 이상 영화를 제작하지 못하고 이론과 사변으로 칩거해야만 했다. "자본" 프로젝트나 "유리 집" 프로젝트 같은 극도로 실험적인 사변적 기획들이 바로 이 시기에 잉태된다.[50]

에이젠슈테인은 에세이 「파토스」에서 현수교처럼 지붕이나 바닥을 줄에 달아 매는 구조 형식을 가리키는 "현수懸垂건축architecture of suspension"이라는 흥미로운 개념을 제시한다. 이 개념의 최초 출처는 19세기 작가 고골이 쓴 에세이 「오늘날의 건축에 관하여」다. 보임은 에이젠슈테인의 긴 문단을

<hr/>

50   김수환, 「에이젠슈테인의〈자본〉프로젝트: 영화논고, 영화사물, 영화사유」, 『문학과영상』 21권 1호, 2020, pp. 31~59; 「유리 집Glass House의 문화적 계보학: 세르게이 에이젠슈테인과 발터 벤야민 겹쳐 읽기」, 『비교문학』 81권, 2020, pp. 51~87 참조.

직접 인용한다.

"지금까지 현수 건축은 단지 극장의 박스석, 발코니 그리고 작은 다리들을 통해서만 스스로를 드러냈을 뿐이다〔라고 고골은 적었다〕. 하지만 만일 〔…〕 이 투명한 주철로 된 장식이 경이롭고 아름다운 타워를 감싸고 그와 함께 하늘로 솟아오른다면 어떨까…?" 언젠가 안드레이 벨리Andrey Bely는 피카소를 예견하는, 고골의 「넵스키 거리」의 인용문으로 독자를 놀라게 한 적이 있다. 그러나 벨리는 무슨 이유에선지 고골이 기둥 위에 세워진 집이라는 르 코르뷔지에의 아이디어를 예견했다는 사실을 간과했다. 만일 투명성의 건축에 관한 그의 아이디어가 주철에 씌운 투명한 천으로 해결되지 못했다면, 그것은 미국의 프랭크 로이드 라이트가 제안했던 대로 유리를 통해서, 그리고 "경탄스러운 탑"(즉 타틀린의 탑)의 아이디어를 통해 해결된다. 〔…〕 "〔고골이 결론짓기를〕 건축가의 머릿속에 완전히 새로운 아이디어들을 심어줄 얼마나 풍부한 제안들이 나왔겠는가, 만일 이 건축가가 창작자이고 시인이라면."⁵¹

51   Sergei Eisenstein, "Pathos" (1946), *Izbrannye proizvedeniia*, vol. 3, Moscow, 1964, p. 198. 영어본은 "Pathos," *Nonindifferent Nature*, Herbert Marshall (trans.), Cambridge, MA : Cambridge University Press, 1987, p. 165. 여기서 에이젠슈테인이 "현수 건축"이라는 고골의 표현에 주목하는 이유는 철과 유리로 만들어진 '매달린'

177

작가 고골과 벨리의 이름이 저명한 건축가들(르 코르뷔지에, 프랭크 로이드 라이트, 타틀린)과 나란히 등장하는 이 인용문의 배후에는 해당 글을 쓰던 시기 영화 매체(의 미래)를 두고 완전히 새로운 사유를 전개했던 에이젠슈테인의 이론적 탐구의 심오한 맥락이 놓여 있다. 보임이 "좌절한 영화감독으로 하여금 선지적 이론가가 되어 상이한 매체들의 추론적 역사를 탐구할 수 있게 허용한다"(p. 73)라고 짧게 정리해놓은 이 맥락은 2006년에 발표된 한 편의 선행 연구[52]에서 집중적인 고찰의 대상이 된 바 있다.

앤 네스벳은 에이젠슈테인에게 일종의 "죽은 휴지부"에 해당했던 1930년대 초반 그와 19세기 작가 고골의 만남, 더 정확하게는 위대한 모더니즘 작가 벨리의 '중개를 거친' 둘의 만남이 어떻게 에이젠슈테인 창작의 후반기를 위한 창조적 모멘텀의 원천이 되었는지를 상세하게 분석했다. 그 만남의 대략적인 개요는 다음과 같다. 1932~33년 러시아과학아카데

건물이라는 그의 아이디어가 르 코르뷔지에의 필로티piloti 구조나 프랭크 로이드 라이트의 유리 건축뿐만 아니라 철로 된 구조물 내부에 투명 유리로 된 세 개의 입방체를 매달아 놓은 타틀린의 기념비를 곧장 떠올리게 만들기 때문이다.

52   Anne Nesbet, "The Building to Be Built: Gogol, Belyi, Eisenstein, and the Architecture of the Future," *The Russian Review*, vol. 65, No. 3(July, 2006), pp. 491~511.

미 부속 휴양소에서 겨울을 보내던 에이젠슈테인은 옆방에 머물던 한 출판편집자에게서 출간을 앞둔 어떤 책의 교정본 원고를 입수하게 된다. 벨리의 유작『고골의 기예*Masterstvo Gogolya*』(1934)였다. 그 원고는 에이젠슈테인에게 말 그대로 위대한 '발견'에 해당했던바, 전무후무할 정도로 독창적이었던 벨리의 고골 독해는 그에게 새로운 돌파구를 마련하는 강력한 자극제가 되었다.

극도의 흥분과 함께 에이젠슈테인에게 떠올랐던 물음은 다음과 같은 것이었다. 고골을 미래주의에 연결시킬 정도로 대단한 통찰력을 지녔던 벨리[53]는 어째서 그를 영화에 연결짓지 않았을까? 도대체 왜 벨리는 "고골에게 무언가 본질적으로 영화적인 것이 있다"는 사실을 알아채지 못했단 말

[53] 보임의 에이젠슈테인 인용문에 나오듯이("언젠가 안드레이 벨리는 피카소를 예견하는, 고골의「넵스키 거리」의 인용문으로 독자를 놀라게 한 적이 있다"), 벨리에게 고골, 특히 그의 마술적인 문장들은 본질상 20세기의 것, 그러니까 동시대 미래주의와 상통하는 것이었다. 이 점에서 미래를 향해 있는 고골은 본질상 "과거에 말을 거는" 작가인 푸시킨과 구별된다. "푸시킨의 구절은 18세기와 뿌리에서 합류한다. 19세기에 꽃을 피웠던 그것은 과거에 말을 건다. 〔반면〕고골의 문장은 심지어 우리가 지금 뚱땅거리고 있는 것의 결실의 시기를 개시한다. 그것은 마야콥스키뿐 아니라 흘레브니코프, 그리고 프롤레타리아 시인과 소설가 들에게서 볼 수 있는 것들이다." Andrei Belyi, *Masterstvo Gogolia: issledovanie*, Moscow, 1934, c. 9. 영어본은 *Gogol's Artistry*, Christopher Colbath(trans.), Northwestern University Press, 2009, p. 8.

인가?

네스벳은 다각도의 논증을 통해 에이젠슈테인의 후반기 사유의 핵심 토픽에 해당하는 "살아 움직이는 선,"[54] 고딕적인 것과 상통하는 "파토스"와 "엑스터시"의 문제,[55] 그리고 저 유명한 "영화의 방법method에 관한 건물"의 아이디어를 벨리로부터 직접 차용했음을 밝혀냈다. 그에 따르면, 고골은 이미 1세기 전에 전형적인 영화적 기법들(클로즈업, 파노라마 쇼트, 셔터링 몽타주 등)을 예견했을 뿐만 아니라 훗날 영화라고 불리게 될 모종의 '건물'을 추론했다. 네스벳의 논문 제목("지어질 건물The Building to Be Built")이 이를 압축하는바, "영화는 아마도 고골이 지었을지도 모를would have built 건물로 여겨질 수 있다."[56] 요컨대, 벨리의 중개를 거친 고골에게

54 풍경으로부터 연장되어 인물을 산출하는 선line의 문제, 벨리의 고골 독해에서 에이젠슈테인이 찾아낸 이 문제의식은 디즈니 애니메이션(미키마우스)의 "플라즈마plasma적 캐릭터"의 마법적인 선을 향한 그의 관심과 상통한다. 후자에 관해서는 김수환, 「에이젠슈테인의 〈디즈니〉와 벤야민의 "미키마우스": 태고의 원형元型 혹은 포스트휴먼적 예형豫型」, 『문학과영상』 22권 1호, 2021, pp. 33~61 참조.

55 고딕적인 것과 연결되는 '파토스'와 '엑스터시'를 향한 에이젠슈테인의 관심은 피라네시Giovanni Battista Piranesi의 유명한 에칭 〈상상의 던전imaginary dungeons〉 시리즈를 매개로 전개되었다. 이에 관해서는 이지연, 「Discourse, Figure : 에이젠슈테인의 영화론과 몽타주」, 『슬라브연구』 35권 3호, pp. 57~84 참조.

56 Anne Nesbet, 같은 글, p. 511.

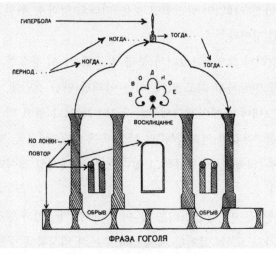

고골의 구문phrase of Gogol을 형상화한 신전(안드레이 벨리)

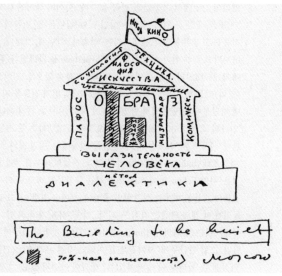

영화의 방법method of cinema을 형상화한 건물(세르게이 에이젠슈테인)

서 에이젠슈테인이 발견했던 것은 '미래의 영화'를 위한 설계 도였던 것이다.[57]

그러나 보임은 (그녀가 분명 참조했을) 이 중요한 선행 연구를 언급하지 않고 있다. 이는 이해할 만한 것인데, 왜냐 하면 그녀에게 에이젠슈테인의 후기 이론보다 훨씬 더 중요 한 것은 "좌절한 영화감독"의 상상 속에서 문학(고골, 벨리) 과 건축(타틀린)이 합류하고 있다는 사실 자체일 것이기 때 문이다.

핵심은 이 "경탄스러운 탑"이 또다시 "가능성과 영감 들 의 도가니"로서 "상이한 매체들의 추론적 역사를 탐구할 수

57   벨리의 신전에서 기둥들은 '반복'을, 기둥 사이에 늘어진 블록은
      '파열'을, 중앙 문 위의 장식은 '삽입구'와 '감탄문'을, 건물의
      지붕은 고골의 문장을 전개시키는 '접속사들'(언제, 그때)을,
      마지막으로 맨 위의 첨탑은 '과장법hyperbole'을 가리킨다. 한편,
      에이젠슈테인의 건물을 이루는 각각의 부분은 앞으로 '지어질
      (영화)건물'의 이론적 부문들을 지시하는데, 먼저 건물을 지탱하는
      맨 하단부에는 '변증법적 방법(론)'이 자리한다. 그 위의 계단에는
      '인간의 표현성'이, 건물의 왼쪽과 오른쪽을 지탱하는 두 기둥에는
      각각 '파토스'와 '희극성'이, 중간의 두 기둥에는 '미장센'과
      '미장프레임mise en cadre'이 적혀 있다. 건물의 내부를 채우고 있는
      것은 '이미지obraz'인데, 내부로 통하는 중앙문이 바로 '몽타주'다.
      건물의 지붕을 이루는 삼각형의 중앙에는 '예술 철학'이, 그것을
      둘러싼 세 개의 변에는 각각 '사회학' '기술' '사유'가 적혀 있다. 건물
      꼭대기에는 '영화의 방법method'이라고 적힌 깃발이 나부끼고
      있다. 그림 하단부에 '지어질 건물'이라는 구절 아래에는 (건물의
      '미장센'과 '몽타주'에 그어져 있는) 빗금이 그려져 있고, 그 옆에
      "70퍼센트가 작성됨"이라고 적혀 있다.

있게 허용"하는 특별한 "의식의 실험실"로 작동하고 있다는 사실이다. 동시대의 건축을 넘고, 벨리를 거쳐, 고골을 향해 시간을 거꾸로 거슬러 나아가면서 기발한 "스타일의 계보학"을 새로 쓰게 만드는 그것의 특별한 역량. 모험의 건축을 위한 원형적 모델이자 오프모던의 상징물로서 타틀린 탑의 위상이 이렇게 재확인된다.

이상에서 알 수 있듯이, 보임이 생각하는 "프로젝트 시학"은 서구인들을 그토록 강하게 사로잡곤 했던 "위대한 기획"의 신화, 급진적 상상력에 기초한 "유토피아적" 지향과 거리를 둔다. 그녀가 시종일관 강조하는 것은 "아방가르드 내부에 존재했던 커다란 다양성"이다. 보임이 보기에 "아방가르드적 상상력의 발본성은 정확하게 그것의 아토피아적인 atopia 혹은 헤테로토피아heterotopia적인 성격에 있다."(p. 68) 이렇게 볼 때, 마지막 장의 논의가 파편화된fragmented 잔해의 형상을 띠고 있는 타틀린의 후예들에게 할애되는 것은 자연스럽다.

3. 카바코프의 총제적 설치와 폐허애호주의

"설치 건축과 현대의 폐허애호주의ruinophilia"라는 제목을 단 마지막 장에서 보임은 (결혼 후 함께 망명했던 첫 남편) 콘스탄틴 보임에서 시작해 레오니드 소코프Leonid Sokov, 유리 아바쿠모프Yuri Avvakumov 등으로 이어지는 20세기 소비에트 예술의 "비순응적" 흐름을 따라간다. 그녀는 이제는 "폐허가 된 유토피아"와 관계하면서 1920년대의 유토피아의 꿈을 "기억하고 재활용"하는 일련의 개념적 시도를 차례로 분석한다. 이 시도들 속에서 타틀린의 위대한 탑은 이제 만지고 놀 수 있는 장난감이나 여행 기념품처럼 작고 가벼워지는가 하면, "구역zone"이라 불리는 소비에트 삶의 "공포의 영토들"과 연결된 강제수용소 감시탑으로 변형되어 "기억의 필름의 비가시적 층위들을 현상"하는 "기억의 극장" 역할을 수행하기도 하고, 때로는 예기치 않은 세입자들을 위한 거처가 되어 "이상적인 노동자와 농민뿐만이 아니라 미래의 모든 몽상가들을 위한 은신처"로 바뀌기도 한다. 그런데 아방가르드의 가상적 폐허를 개념화하는 이 모든 시도들을 대표하는 가장 중요한 작품을 꼽으라면, 역시 일리야 카바코프의 "총체적 설치"를 들지 않을 수 없다. 20세기 후반의 저명한 소비에트 출신 망명 예술가인 카바코프의 이름은 이미 『노스탤지어의 미래』에서부터 "오프모던"을 대변하는 주역들 중 하나로 등장한 바 있다.

카바코프의 총체적 설치는 노아의 방주를 닮았는데, 다만 우리는 예술가가 탈출하는 곳이 지옥인지 천국인지를 확신할 수 없을 뿐이다. 동시대 예술언어에 능통한 카바코프의 프로젝트는 서구의 해석자를 놀라게 하고 [여하한] 이즘을 벗어난다. [⋯] 하지만 카바코프의 프로젝트는 지체된 모던, 오프모던이다. 그것은 모더니티의 옆 골목, 작은 인간들과 아마추어 예술가들의 열망, 모던 유토피아의 폐허들을 탐구한다.[58]

카바코프는 1970년대와 1980년대 초반에 노마NOMA라고 알려진 "모스크바 낭만적 개념주의"의 비공식적 운동에 관여했다. 알려진 바대로, 이 명칭은 보리스 그로이스가 1979년에 예술잡지 『아-야A-Я』에 게재한 글에서 최초로 고안한 것이다. "노마"라는 명칭은 그룹의 젊은 참여자였던 파벨 페페르슈테인Pavel Peperstein이 제안한 것이며, "소츠-아트"라는 또 다른 명칭은 이 운동과 가까웠던 비탈리 코마르와 알렉산더 멜라미드Vitaly Komar & Alexander Melamid가 1979년 미국으로 망명하면서 자신들의 예술 작업에 붙인 이름이었다.[59]

58   Svetlana Boym, *The Future of Nostalgia*, p. 345.
59   소츠-아트라는 용어는 사회주의 리얼리즘sotsrealism의 앞부분 "sots"와 앤디 워홀 등으로 대표되는 서구 팝아트pop art의 뒷부분 "art"를 결합한 것으로, 그들의 전략은 합법적인 예술적 질료인 사회주의 리얼리즘의 스타일, 특히 그것의 대중화된 이데올로기적 함의를 지닌 질료들을 사용하되 고유한 시각적 언어(병치, 치환, 탈맥락화, 희화화 등)를 통해 그것에 내재한 이데올로기 시스템을 교란하는 것이다.

강조할 것은 이 운동이 특정한 예술 학파보다는 모종의 서브컬처나 삶의 방식에 더 가까운 것이었다는 점이다. 1968년에 체코슬로바키아를 침공한 이후 소비에트 내의 문화적 삶이 과거에 비해 훨씬 더 제한적으로 바뀐 상황에서, 일군의 예술가, 작가, 지식인 들은 소비에트 제도들에 새겨진 일련의 "회색 지대"에서 모종의 "병행적 실존parallel existence"의 방식을 창안했는데,[60] 개념주의 역시 그 연장선상에 있다. 넓은 의미에서 개념주의자들은 특정 지도자가 있는 컬트(가령, 선언문을 내고 퍼포먼스를 감행했던 아방가르드의 경우처럼)가 아니라 일상생활에서 비슷한 위험을 감수하고, 공통의 대화를 나누며, 그로부터 정체성의 감각을 도출하는 '괴상한eccentric 개인들'의 그룹에 가까웠다. 그들을 묶어주는 끈은 부엌에서의 대화와 우정의 느낌, 그리고 공식적 삶과 나란히 펼쳐지는 병행적 실존의 감각이었다.

60   유르착은 후기사회주의 시기에 발생한 독특한 체제 내적 역학("수행적 전환")을 해부하면서 "브로드스키의 모델"이라 불리는 특이한 행위 모델을 소개한 바 있다. 그에 따르면, "체제와 싸우기보다는 아예 그것을 인지하지 못하는 것처럼 살아가는" 이런 삶의 방식은 "이어지는 10년 동안 그보다 열 살가량 어린 도시 거주민, 곧 소비에트 마지막 세대 사이에서 점점 더 널리 퍼지기 시작했다." 알렉세이 유르착, 『모든 것은 영원했다, 사라지기 전까지는』, 김수환 옮김, 문학과지성사, 2019, p. 243. 유르착에 따르면, 개념주의자들의 세대와 일치하는 이 소비에트 마지막 세대들의 삶은 "브네vnye"라고 불리는 특별한 이중적 지대/구역zone에서 펼쳐지는 병행적 삶의 양태를 띠었다.

이는 한편으로, 소비에트 내부에서 이와 같은 독특한 실존의 예술이 (반체제라는 명확한 표상을 부여받지 않은 채로) 존속할 수 있었던 조건을 가리키면서, 동시에 망명 이후 소비에트가 해체된 이후에도 여전히 지속되었던 '갈망'과 '향수'의 원인을 설명해준다. 전자의 상황에 대해 카바코프는 "공개도 없고 전시회도 없었습니다. 완전히 닫혀 있었지요"라고 표현하는데, 공식적으로는 예술가가 아니었기 때문에[61] 당연히 공개적인 전시는 불가능했지만, 대부분의 경우 당국은 그들을 그저 '내버려두었다.'

언젠가 보리스 그로이스가 지적했듯이, 실제로 이것은 예술 작업을 위한 아주 독특하고 우호적인 (서구에서는 이미 불가능해진) 환경에 해당했다. 현지의 수집가도, 큐레이터도, 비평가도 없었기 때문에, 한마디로 "예술 시장이 없고 바깥에서 찾아올 청중이 없었기 때문에, 이 예술가들은 비공식 예술 현장과 연결된 다른 예술가와 작가, 지식인 들, 한마디로 긴밀하게 연결된 커뮤니티의 동료들을 위해 작품을 제작했다."[62] 미학적 관점에서 볼 때 카바코프와 그의 친구들은

---

61   생계를 꾸려가기 위한 카바코프의 '공식' 직업은 동화 삽화가였다.
      망명 전까지 그는 거의 120여 권에 이르는 책을 제작했는데,
      엄격한 검열을 동반했던 이 일을 그는 좋아하지 않았다.

62   Boris Groys and Anton Vidokle, "Art beyond the Art Market," in
      East Art Map: Contemporary Art and Eastern Europe, IRWIN(ed.),
      London: Afterall, 2006, p. 403.

예술을 직업적 관심사가 아니라 실존적 진지함을 추구하는 '공동의 취미'와 유사한 어떤 것으로 자리매김했다고 볼 수 있다.[63] 이런 의미에서, 개념주의 (비공식) 예술가들을 특징 지었던 독특한 분위기, 그리고 자본의 바깥에서 작동하는 특유의 예술적 이상주의가, 우정으로 결합된 동료들과 나누었던 부엌에서의 대화의 기억과 더불어 카바코프에게 강한 향수의 감각을 불러일으키게 된 것도 충분히 이해할 만하다.[64]

63   카바코프는 자신을 둘러싼 비공식 예술가들의 세대가 예술에 관한 "대화적 분위기"의 조성에 최대한의 강조를 두었다고 지적한다. 그의 설명에 따르면, 개념주의는 "그 중심에 담론적이고 대화적인 것이 자리하는 현상"이었다. Ilya Kabakov and Boris Groys, "Beseda o Nome," in Kabakov, NOMA, ili, Moskovskii kontseptual'nyi krug, exh. cat., Ostfildern, Germany : Cantz, 1993, p. 19.

64   어떤 점에서 이는 소비에트 출신 망명 예술(이론)가들을 묶어주는 공통분모에 해당한다. 보임도 잠시 인용하고 있는 문화이론가 빅토르 투피친의 저서『코뮨적 (포스트)모더니즘Коммунальный (пост) модернизм』(Москва : Ad Marginem, 1998)의 영어본에는 서문을 대신해 수전 벅-모스가 저자와 나눈 긴 대담이 실려 있는데, 거기서 그녀는 이렇게 말한다. "소비에트 예술의 공동적인communal 비전을 어떻게 하면 가장 잘 전달할 수 있을까요? 제 생각에 당신은 일상생활에 대한 유머러스한 비판을 통해서 그것을 훌륭하게 전달하고 있는 것 같습니다. 제가 보기에 당신은 소츠아트〔에릭 블라토프, 코마르와 멜라미드 등〕가 시각적으로 해냈던 것을 언어적으로 달성하고 있습니다. 당신의 비판은 소비에트의 경험을 단죄하는 데 그치는 게 아니라 우리가 그걸 거의 갈망하도록 만듭니다. 제아무리 절망적일지라도 우리가 감사함을 느끼게 되는 나쁜 유년의 기억들처럼 말이지요." Victor Tupitsyn, Museological Unconscious: Communal (Post)Modernism in

188

하지만 다시 강조하건대, 이러한 병행적 실존이 소비에트의 공식적 삶과 전혀 무관하게 전개된 별개의 흐름이었다고 말할 수는 없다. 그것은 공식적 삶과 사고 방식이 비공식적인 그것들과 기이하게 결합된, 예술적 혼합의 산물에 해당한다고 보아야 한다. 예컨대, 카바코프 전시를 특징짓는 '엄청난 양의 텍스트'는 그 자체로 소비에트 삶의 양태와 내재적으로 결합되어 있다. 이는 그의 예술언어가 소비에트 문화의 글자조합 수수께끼rebus 같은 언어, "소비에트 상징과 엠블렘, 사소한 오브제 트루베, 빌려온 인용구, 슬로건, 그리고 가정 쓰레기들로부터 만들어졌다"[65]는 사실만을 가리키는 것이 아니다. 그 방대한 텍스트들의 배후에는 실제로 '문서 제국' 소비에트의 일상(1980년대 초까지 소비에트에서는 공식 문서 스크랩 8천억 개가 유통되고 있었고, 이는 소련 시민 한 사람당 거의 3천 개에 달하는 숫자다)이, 더 나아가 '말의 힘'에 편집증적으로 사로잡혔던 '기호의 제국' 소비에트의 삶이 자리하고 있다.[66] 요컨대, '창의적인 것'과 '행정적인 것'이 독

Russia, The MIT Press, 2009, p. 2.

65   스베틀라나 보임, 「화장실에서 박물관까지: 소비에트 쓰레기의 기억과 변형」, pp. 573~74.

66   지젝은 "진정한 기호의 제국은 바로 스탈린의 소련이었다" (슬라보예 지젝, 『잃어버린 대의를 옹호하며』, 박정수 옮김, 그린비, 2009, p. 331)라는 말을 통해 소비에트의 독특한 의미론적 포화 상태를 지적한 적이 있다. 그에 따르면, 소비에트의 세미오시스 내부에서는 '모든 것'이 의미를 지니고 있었고

특하게 혼합된 카바코프 특유의 '사고 기술'은 소비에트의 삶을 특징지은 종이와 말의 보편성이 탄생시킨 산물이었던 것이다.

당연한 말이지만, 공식적 삶과 비공식적 삶이 병행 실존하는 이런 기이한 결합은 카바코프가 서구로 망명한 1988년 이후 더 이상 유지될 수 없었다. 포스트소비에트의 맥락에서 이제 카바코프의 작품의 의미는 달라질 수밖에 없었다. 소비에트 일상의 체제 전복적인 인용과 그로부터의 예술가의 탈출에 관한 것으로부터 기억과 향수, 잃어버린 시간의 회복(불)가능성에 관한 예술적 표명으로 변모한 것이다. 보임이 살펴보고 있는 카바코프의 설치 작품 〈프로젝트들의 궁전The Palace of Projects〉(1995~2001)은 정확하게 이 측면을 겨냥하고 있다.

변화된 상황이 야기한 가장 중요한 특징은, 소비에트 자체가 이미 되돌릴 수 없는 과거가 되어버린 상황에서 그것이

말(외형)이 단지 무언가를 지칭하는 수단(그릇)이 아니라 그것이 가리키는 세계 자체를 지탱하는 틀로 기능하고 있기 때문에, 그것에 가해진 아주 작은 변형조차도 세계 자체를 향한 발언, 나아가 위협이 될 수 있었다. 그에 따른 논리적 결과는 언어의 형식을 향한 편집증적인 집착으로 나타났다. 보리스 그로이스는 "사회의 총체적인 언어화total linguistification"라는 테제를 통해 이런 '말의 지배 상황'을 정식화한 바 있다. 보리스 그로이스, 『코뮤니스트 후기』, 김수환 옮김, 문학과지성사, 2017에 실린 옮긴이 해제 참조.

'해체'와 '탈신화화'뿐만 아니라 '노스탤지어'의 대상으로 나타난다는 점이다. 망명 이후 제작된 카바코프의 설치 작품 특유의 '양가성'이 이로부터 비롯된다. 진보적 목적론의 실패를 전시하는 그의 폐허는 이제 비가적 감상성을 동반하는 성찰적이고 아이러니적 노스탤지어의 대상이 된다. 하지만 오프모던의 관점에서 보다 중요한 것은 그와 같은 노스탤지어가 표현되는 구체적인 방식과 양상이다. 주목할 것은 〈프로젝트들의 궁전〉이 "수많은 미니-유토피아들을 탑재한, 유배된 예술가의 거주지"이면서 "꿈, 가설, 프로젝트 들로 이루어진 독특한 뮤지엄"이라는 점이다. 우선, 설치물의 외관부터가 흥미로운데, 그것은 카바코프의 여러 드로잉에 등장하는 "달팽이의 껍질"을 연상시키는 "나선형"의 형태를 띠고 있다. 이것이 일종의 '보호막'이자 '이동식 집'인 동시에 (중력을 거스르는 아방가르드의 기념비, 타틀린 탑을 연상시키는) 근대적 유토피아의 지향을 환기하는 것임은 두말할 나위가 없다.

그런데 이 새로운 거주지, "집으로부터 멀리 떨어진 집"이 예술가의 과거 작업 전부를 담고 있는 "하나의 완벽한 환경"[67]이면서 동시에 해외의 관람객을 위한 일종의 "국제적인

---

67   "완벽한 하나의 환경으로서 그것은 예술가의 과거 작품들, 앨범〔작업〕의 파편들, 그림, 일상의 사물, 코무날카 이웃들의 강박적인 수집품들, 미완성의 아방가르드 걸작들, 재능 없는 예술가가 그린 스케치들, 공동주택의 쓰레기들을 모두 담고 있다."(p. 99) 카바코프의 설치 미술이 "총체적 설치"인 이유는

저장고"로서 기능한다는 점이 중요하다. 일반적인 경우와 달리 카바코프의 설치물은 (이산적 친밀성을 경험하면서) 관람객이 설치물 안의 오브제를 직접 만질 수 있게 권장되는데, 실제 전시에서는 거기서 더 나아가 사람들이 각자의 개인 소지품들을 전시장에 남겨둠으로써 각자의 쓸모없는 물건들을 예술 작품으로 바꿀 수 있도록 했다. 자신의 소지품을 첨가하고, 설치물에 거주함으로써, 카바코프 내러티브의 주인공이 되는 것은 결국 전시물의 관람객이다. "이렇듯, 카바코프는 미학적 거리 그 자체와 숨바꼭질 게임을 하면서, 촉각적tactile 개념주의를 고취"했던바,[68] 그가 제안하는 것은 "어느 한 그룹의 유토피아를 실제 크기로 건설하는 대신에 사람들에게 각자의 꿈 세계를 미니어처로 보여줄 수 있는 기회를 주자는

그것이 소비에트의 '전체주의적totalitarian' 삶을 재현하고 있기 때문이 아니라, 모든 장르와 매체를 동원하여 말 그대로 소비에트 삶의 '모든 것totality'을 담아내고 있기 때문이다. 관련된 더 상세한 내용은 이지연, 「일리야 카바코프의 총체적 설치: 아방가르드 예술가의 꿈과 소비에트 삶의 예술」, 『비교문화연구』 13권 1호, 2009, pp. 151~81과 송정수, 「일리야 카바코프 창작에 반영된 소비에트 아이러니와 노스탤지어 서사 충동」, 『슬라브학보』 제37권 3호, 2022, pp. 51~78 참조.

68   마노비치는 일찍이 "관람자가 특정한 세부 사항과 설치 전체에 대해 번갈아 집중하도록 유도하는" 카바코프 설치의 내비게이션 전략과 그것 특유의 '촉각성'에 주목하면서 "이러한 전략 모두는 가상 내비게이션 공간 디자인(그리고 상호 작용적 멀티미디어 전반)에 적용될 수 있다"고 언급한 바 있다. 레프 마노비치, 『뉴미디어의 언어』, 서정신 옮김, 커뮤니케이션북스, 2014, p. 339.

것이다."(p. 100)

결국, 공감과 낯설게하기를 결합시킨 카바코프의 아이러니적인 노스탤지어는 거주가 불가능한 곳, 이를테면 "난민 서식지에 거주할 수 있도록 하는 하나의 방식"으로서, "기억을 보존한 채로 살아남음으로써 가장 살아가기 힘든 폐허 속에 거주하려는 열망"의 산물임이 드러난다. 카바코프를 저명한 망명 예술가로 서구에 성공적으로 데뷔시킨 미국의 큐레이터 로버트 스토Robert Storr의 말처럼, "유토피아와 유토피아의 실패, 그럼에도 불구하고 살아남는 열망. 그것은 환상의 완전한 상실과 그것을 발명하려는 억제할 수 없는 욕구 사이의 긴장이며, 이는 20세기의 꽤 훌륭한 요약이다."[69]

이제 우리는 어째서 카바코프의 설치 작품이 『오프모던의 건축』의 마지막 장을 차지해야 하는지 납득할 수 있다. 그곳에 "상실된 기회들의 유령"으로서 타틀린의 탑이 여전히 출몰하고 있기 때문이기도 하지만, 더 중요한 이유는 따로 있다. 그것은 카바코프의 설치가 망각/폐기 vs 복원/건설이라는 '이원적 선택지' 사이에서 "제3의 길"을 내고자 하기 때문이다. 특유의 오프모던적 관점을 통해 카바코프의 설치 예술은 유토피아적인 프로젝트들을 "변증법적 폐허"로서 다시 프레이밍할 수 있도록 허용한다. "폐허애호주의"라는 보임의

69   Julie L. Belcove, "Keeping up with the Kabakovs," *Financial Times*,
      March 16 2013.

개념이 겨냥하는 것도 바로 그 지점이다.

　이런 건축적·예술적 프로젝트들에서 오프모던은 역설적인 폐허애호의 형식을 통해 자신을 드러낸다. 새로운 건물이나 설치는 과거를 파괴하지도 다시 건설하지도 않는다. 오히려 건축가나 예술가는 역사의 잔재들과 더불어 공共창조하며, 근대의 폐허와 협업하고, 그것들의 기능—실용적인 기능과 시적인 기능 둘 다—을 재정의한다. 〔…〕 이렇듯, 오프모던의 관점은 우리로 하여금 유토피아적인 프로젝트들을 변증법적인 폐허로서 프레이밍할 수 있게 허용한다. 그것들을 폐기하거나 철거하는 것이 아니라 우리 자신의 찰나적인 현재와 대면시키고 통합시킨다.(pp. 110~11)

V. 나가며

모더니티의 '유토피아'와 '폐허'를 동시에 응시하는 특별한 관점을 통해, 우리 시대를 사유하기 위한 매혹적인 개념들을 거듭 창안해온 스베틀라나 보임이 너무 일찍 우리를 떠나게 된 것은 아쉬운 일이다. 섣부르게 미래를 점치거나, 성기게 현재를 진단하는 대신에 솜씨 있게 "역사를 거꾸로 솔질"(벤야민)할 줄 알았던 그녀가 우리 곁에 좀더 오래 머물렀다면, 뉴미디어의 마법을 통해 '멀티'와 '메타'의 세계로 훌쩍 건너갈 것을 약속하는 우리 시대의 현기증 나는 기술 유토피아주의에 관해서, 그리고 실패의 낙인과 함께 이제는 폐기처분된 과거로 여겨지는 지난 20세기 소비에트의 경험에 관해서, 우리에게 좀더 많은 이야기를 해줄 수 있었을 것이다. 하지만 길지 않은 생애를 무척이나 다채롭게 살았던 그녀의 유산을, 여러 각도에서 여러 모습으로 만날 시간은 아직 우리에게 충분하다. 오프모던의 개념을 아방가르드 건축과 연결시킨 흥미로운 사례인 이 책 『오프모던의 건축』을 통해 스베틀라나 보임의 사유를 향한 관심이 촉발될 수 있게 되길 기대한다.